Christine Nöstlinger
Der geheime Großvater

Christine Nöstlinger

Der geheime Großvater

Erzählung

BELTZ
& Gelberg

Christine Nöstlinger-Edition der Verlage
Beltz & Gelberg, Weinheim, und Jugend und Volk, Wien.
»Am Montag ist alles ganz anders«
»Anatol und die Wurschtelfrau«
»Das Austauschkind«
»Der geheime Großvater«
»Maikäfer, flieg!«
»Oh, du Hölle!«
»Rosa Riedl, Schutzgespenst«
»Wetti & Babs«
»Der Zwerg im Kopf«

»Der geheime Großvater« wurde mehrfach ausgezeichnet:
Österreichischer Kinderbuchpreis
Kinderbuchpreis der Stadt Wien

Dieses Buch ist auf Papier aus
chlorfrei hergestelltem Zellstoff gedruckt.

1.–20. Tsd. dieser Ausgabe, 1994
© 1994 Beltz Verlag, Weinheim und Basel
Programm Beltz & Gelberg, Weinheim
Lizenzausgabe
© 1986 by Jugend und Volk Verlagsgesellschaft m.b.H., Wien-München
Vertrieb in Österreich durch J&V-Edition Wien/Dachs Verlag G.m.b.H.
Einbandgestaltung von Jutta Bauer und Gesa Denecke
Einbandbild von Jutta Bauer
Gesamtherstellung Druckhaus Beltz, 69494 Hemsbach
Printed in Germany
ISBN 3 407 79632 3

Ich habe eine ganze Menge Bücher geschrieben, aber noch nie habe ich ein Buch über meinen Großvater geschrieben. Dabei steht ihm wirklich eines zu. Nur ist es gar nicht so leicht, ein Buch über meinen Großvater zu schreiben, denn mein Großvater ist schon lange tot. Wenn ich von meinem Großvater erzähle, muß ich von einer Zeit erzählen, in der sehr vieles sehr anders war. Und ich weiß nicht genau, was ihr von dieser Zeit wißt und was ich euch genau erklären muß, damit ihr alles richtig versteht. Aber ihr habt ja auch Großväter. Und die waren schon auf der Welt, als ich ein Kind war und mein Großvater ein alter Mann.

Eure Großväter könnt ihr fragen, wenn auf den nächsten Seiten etwas geschrieben steht, was ihr nicht kapiert. Mein Großvater hat sich immer gefreut, wenn er mir etwas erklären durfte.

PS: Falls jemand von euch keinen eigenen Großvater hat, kann er sich zum Fragen ruhig den Großvater von einem Freund oder einer Freundin ausborgen. Geborgte Großväter sind manchmal sogar besser als eigene!

Mein Großvater war sehr lang, aber nicht sehr breit. Ganz dünn war er. Nur um die Mitte herum war er ein bißchen dicker, weil er einen kleinen Kugelbauch hatte. Das war kein Fettbauch. Das war ein harter Bauch, aufgebläht von schlechter Verdauung, die Gase erzeugt. Ein Eßlöffel voll Natron, mit lauwarmem Wasser hinuntergespült, machte den Gasbauch ein wenig weicher und ein wenig kleiner.

Mein Großvater hatte blitzblaue Augen und weiße Ringellocken, in die er einen Mittelscheitel kämmte. Er hatte einen weißen Schnurrbart und weiße Augenbrauen. Sogar aus seinen Nasenlöchern und aus seinen Ohren wuchsen weiße Haare. Die waren steif wie Bürstenborsten.

Die Haut von meinem Großvater war braun. Auch im Winter. Sie war wie Kreppapier so faltig. Nur viel weicher. Und sehr warm. Mein Großvater fühlte sich immer so an, als ob er Fieber hätte. Die Hände vom Großvater waren schön. Schmal und knochig waren sie, mit langen, dünnen Fingern. Doch sie steckten in sehr viel Haut. Riesige Fleischhauerpratzen hätten in der Haut Platz gehabt. Und auf den Handrücken waren dicke, dunkle Adern. Wenn ich einen Finger auf eine dicke, dunkle Ader legte, spürte ich das Blut in der Ader ticken. Manchmal tickte das Blut schnell. Manchmal tickte es langsam. Das hing von der Laune des Großvaters ab. War er lustig, tickte das Blut schnell. War er traurig, tickte es langsam. Meistens tickte es schnell. Und ganz große Füße hatte der Großvater. So große Schuhe, wie sie der Großvater für seine Füße brauchte, gab es gar nicht zu kaufen. Der Großvater mußte sich die Schuhe beim Schuster Giebel machen lassen. Das war ziemlich teuer. Oft sagte der Großvater, er werde sich eines Tages von den großen Zehen ein Stück wegschneiden, um sich die Schusterrechnung zu ersparen.

Als ich noch sehr klein war, kannte ich den Großvater nicht besonders gut. Da ging der Großvater jeden Morgen zur Arbeit und kam erst wieder heim, wenn für mich schon Schlafenszeit war. Da war er ein ganz normaler Sonntagsgroßvater. Einer, der aus Bausteinen viel höhere Türme bauen konnte als ich. Einer, der Hoppa-hoppa-reita-wenn-er-fallt-dann-schreit-er mit mir spielte. Einer, der immer drei rosa-rot-weiß gestreifte Seidenzuckerln in der Hosentasche hatte. Und einer, der ein bißchen freundlicher zu mir war als die anderen Leute, mit denen ich zusammenlebte.

7

Als ich dann ein bißchen größer war, ging der Großvater in Rente, und da lernte ich ihn richtig gut kennen. Um den Großvater zu besuchen, mußte ich nicht weit gehen. Der Großvater wohnte im selben Haus wie ich. Auf demselben Gang. Zwölf Schritte waren es von meiner Wohnungstür zu seiner Wohnungstür. Daß es gerade zwölf Schritte waren, weiß ich genau! Weil ich über sechsunddreißig gelbe Steinplatten mit roten Ecken gehen mußte und nur auf jede dritte Steinplatte einen Fuß stellen durfte. Das hatte ich mit mir so ausgemacht. Und daran hielt ich mich immer. Auch wenn ich es noch so eilig hatte. Ganz wichtig war dabei, daß weder eine Zehenspitze noch ein Fersenende die Fugen zwischen den Steinplatten berührte. Das hätte großes Unglück bedeutet! Ich war nämlich ein sehr abergläubisches Kind. (Ich hatte eine Menge solcher Glücks-Unglücks-Orakel. Aber ich erfand mir immer nur solche, die ich leicht schaffen konnte.)

In meiner Wohnung wohnten außer mir noch meine Mutter und meine Schwester. Mein Vater hätte auch da gewohnt, wenn er nicht gerade im Krieg gewesen wäre. Der Großvater wohnte mit der Großmutter zusammen. Die Minna-Tante, die Schwester der Großmutter, war auch immer bei ihnen. Aber nur am Tag. Zum Schlafen ging die Minna-Tante in ihre eigene

8

Wohnung, ein paar Häuser weiter, die Gasse hinunter. Für mich war es aber so, als ob die Minna-Tante beim Großvater gewohnt hätte. Denn am Abend, wenn ich den Großvater zum letzten Mal besuchte, saß die Minna-Tante bei der Großmutter in der Küche. Und am Morgen, wenn ich den Großvater zum ersten Mal besuchte, saß die Minna-Tante schon wieder bei der Großmutter in der Küche. Ganz so, als ob sie nie weggewesen wäre.

Zwanzig Minuten vor acht Uhr machte ich jeden Tag meinen ersten Großvaterbesuch. Ich ging ihn aufwekken. Der Großvater schlief nämlich sehr gern sehr lang. Viel länger jedenfalls, als die Großmutter für richtig hielt. Die Großmutter war eine ordentliche Frau. Die Großmutter war auch eine sture Frau. Weil sie eine ordentliche Frau war, mußte sie jeden Tag das Bettzeug zum Lüften aus den offenen Fenstern hängen. Weil sie eine sture Frau war, mußte sie das jeden Tag zur gleichen Zeit tun. Punkt acht Uhr war Betten-Lüft-Zeit für sie. Als der Großvater noch zur Arbeit gegangen war, hatte ihn das nicht gestört. Da hatte er ohnehin jeden Tag um halb sieben aufstehen müssen. Nun störte es ihn sehr, weil er gern lang geschlafen hätte. Aber dem pensionierten Großvater zuliebe war die Großmutter nicht bereit, das Bettzeug später auf die Fensterbretter zu legen.

»Das geht nicht«, sagte sie. »Weil ich um neun Uhr auf den Markt einkaufen gehe. Und da müssen die Betten gemacht sein!«

Das Einkaufen konnte sie auch nicht verschieben.

»Das geht nicht«, sagte sie. »Weil ich um elf Uhr mit der Kocherei anfangen muß!«

Und das Kochen konnte sie auch nicht verschieben.

»Das geht nicht«, sagte sie. »Weil um zwölf Uhr das Essen auf dem Tisch stehen muß!«

Warum das Essen um zwölf Uhr auf dem Tisch stehen mußte, konnte sie mir nicht erklären. Fuchsteufelswild wurde sie, wenn ich sie danach fragte. »Weil sich das so gehört!« rief sie. »Weil deine Großmutter keine faule Schlampen ist! Darum!«

Hätte ich den Großvater nicht aufgeweckt, wäre die Großmutter einfach um ein Viertel vor acht ins Zimmer hinein und hätte die Fenster aufgerissen und dem Großvater die Decke vom Bauch und den Polster* unter dem Kopf weggezogen, und der Großvater hätte sich verkühlt. Im Sommer hätte er sich natürlich nicht verkühlt. Aber einen Unglückstag hätte er auf alle Fälle gehabt! Weil die Großmutter beim Deckenwegziehen und beim Fensteraufmachen laut geschimpft

---

* Christine Nöstlinger ist Wienerin. Und ihr Buch spielt in Wien. Deshalb reden die handelnden Personen, wie man eben in Wien redet. Sie verwenden dabei Wörter, die in Wien und in Österreich üblich sind, aber in anderen Gebieten des deutschen Sprachraums nicht. Solche Dialektwörter werden ab Seite 151 f. erklärt.

hätte, und von lauter Schimpferei munter werden, das ist noch ärger, als mit dem linken Fuß zuerst aus dem Bett steigen. Das hatte mir der Großvater erklärt. Er hatte zu mir gesagt: »Ein Tag, der mit dem Gekeif meiner Alten anfängt, ist ein sehr schrecklicher Tag. Da geht mir alles schief. Da schneide ich mich beim Rasieren. Da reißt mir das Schuhbandl beim Anziehen. Da verliere ich beim Tarockieren. Da habe ich Sodbrennen. Da muß ich dauernd niesen. Und beim Mittagsschlaf habe ich schlechte Träume.«

Damit nicht jeden Tag alles schiefging, weckte ich den Großvater jeden Tag auf. Von drei Küssen links auf den Hals und drei Küssen rechts auf den Hals und drei Küssen auf die Nasenspitze wurde der Großvater munter. Ich hatte der Großmutter mein Patent-Aufweck-Rezept erklärt. Damit sie es mir nachmachen könnte, an den Tagen, an denen ich den Großvater nicht aufwecken konnte, weil ich krank war. Oder weil ich gar nicht daheim war. Oder weil ich schon um sechs Uhr am Morgen mit meiner Mutter und meiner Schwester zur Tante Pepi in den Schrebergarten gefahren war. Doch die Großmutter hielt nichts von meinem Aufweck-Rezept. »Ja freilich, was denn«, sagte sie. »Abbusseln werd ich die alte Schlafhauben noch. Tät mir einfallen. Das wär ja noch schöner.«

11

Die Großmutter gab dem Großvater pro Jahr nur drei Küsse. Den einen bekam er, zusammen mit drei Paar handgestrickten, schwarzen Socken, an seinem Geburtstag. Den zweiten bekam er, zusammen mit einem Biskottenfisch und einem vierblättrigen Kleeblatt aus Karton, punkt zwölf Uhr, in der Silvesternacht. Und den dritten gab sie ihm an ihrem Geburtstag, nachdem ihr der Großvater den blauen Hortensienstock mit der rosa Masche überreicht hatte.

Hatte ich dem Großvater die drei Küsse links auf den Hals gegeben, hörte er zu schnarchen auf. Hatte ich ihm die drei Küsse rechts auf den Hals gegeben, blinzelte er und fing zu gähnen an. Hatte ich ihm die drei Küsse auf die Nasenspitze gegeben, setzte sich der Großvater im Bett auf, rieb sich die Augen und gähnte weiter.

Ich schaute dem Großvater gern beim Gähnen zu, weil er am Morgen, im Bett, die Zähne noch nicht im Mund hatte. Am Morgen waren seine Zähne in der Küche, auf einem Brett über der Waschschüssel. In einem Glas voll Wasser lagen sie dort.

Den Großvater – ohne Zähne – schaute ich mir gern an. Die Zähne – ohne Großvater – mochte ich nicht. Meistens lagen sie ja ganz ruhig im Wasser. Nur ein bißchen größer, als sie wirklich waren, schauten sie aus. Doch wenn die Großmutter quer durch die Küche ging, wackelten alle Küchenmöbel ein wenig, weil der Fußboden sehr alt war und sich die Fußbodenbretter unter den schweren Tritten der Großmutter bogen. Wenn die Küchenmöbel wackelten, dann wackelte auch das Glas mit den Zähnen. Das Wasser schwappte hin und her, und das schaute so aus, als ob sich das Gebiß vom Großvater bewegte, als ob es ohne Großvater redete. Davor hatte ich ein bißchen Angst.

Saß der Großvater im Bett und gähnte und rieb sich die Augen, zwickte ich ihn in den Kugelbauch. Aber nicht sehr stark. Sehr sanft zwickte ich ihn. Nur damit er wirklich munter wurde. Und dann sagte der Großvater immer: »O Gott, o Gott! Was ist denn das für eine Welt, in der ein Mensch mit so wenig Schlaf auskommen muß?«

Und ich fragte ihn: »Warst du heute nacht wieder weg, Großvater?«

Und er nickte und sagte: »Freilich! Die Amseln haben schon gezwitschert, und die Frau Wessely hat schon mit dem Herrn Wessely geschimpft, wie ich heimgekommen bin!«

Und ich fragte ihn: »Wo bist denn diesmal gewesen, Großvater?«

Doch bevor mir der Großvater erzählen konnte, wo er

13

in der Nacht gewesen war, kam immer die Großmutter ins Zimmer, schaute mich und den Großvater bitterböse an und rief: »Das Kind kommt ja zu spät in die Schul, wenn's da herumsteht und mit dem Alten palavert!«

Da packte ich mir dann schnell die Schultasche auf den Rücken und lief in die Schule und freute mich den ganzen Vormittag über auf das, was mir der Großvater zu Mittag von der vergangenen Nacht erzählen würde. Den Anfang seiner Nacht-Geschichten kannte ich. Die Nacht-Geschichten vom Großvater fingen alle gleich an. Sie fingen immer so an:

»Ich hab mich gestern ins Bett gelegt, aber einschlafen habe ich nicht können, weil meine Alte neben mir so schrecklich laut geschnarcht hat. Sie hat mir die Nacht in zwei Teile zersägt. Ich habe mich im Bett gewälzt und gewälzt. Und Schafe habe ich auch gezählt. Immer ein schwarzes und ein weißes habe ich über einen Zaun springen lassen. Aber der Schlaf hat nicht kommen wollen. Und wie es dann Mitternacht geschlagen hat, bin ich aus dem Bett gestiegen und habe mich angezogen und bin aus dem Fenster gesprungen …«

In der Nacht verließ der Großvater die Wohnung immer durch das Fenster. Weil die Wohnungstür laut knarrte, wenn man sie aufmachte. Davon wäre die

Großmutter munter geworden, und die durfte doch nicht wissen, daß ihr Mann in der Nacht wegging. Sie hätte das sicher nicht erlaubt. Eine Frau, die punkt acht Uhr das Bettzeug auf das Fensterbrett legen und punkt zwölf Uhr das Essen auf den Tisch stellen muß, die besteht auch darauf, daß man in der Nacht im Bett zu bleiben hat! Und wenn die Großmutter gewußt hätte, daß der Großvater in der Nacht immer mit seinem Motorrad unterwegs war, hätte sie wahrscheinlich sogar der Schlag getroffen.

»Der Alte hat ja nicht einmal einen Führerschein!« hätte sie gerufen und wäre stocksteifmausetot umgefallen. Die Großmutter wußte ja nicht, daß der Großvater heimlich, vor vielen, vielen Jahren schon, die Fahrprüfung gemacht hatte. Er hatte einen Führerschein *für Düsenmotorräder der Klasse X Y Z/mit und ohne Beiwagen.*

Diesen Führerschein hob der Großvater natürlich nicht daheim auf. Da hätte ihn die Großmutter sicher gefunden, denn sie durchsuchte jeden Tag zweimal die Rocktaschen und die Hosentaschen vom Großvater. Angeblich tat sie das, um Tabakbrösel und Staubwuwer aus den Taschen zu bürsten. Aber das stimmte nicht, da log sie! Das Geld in den Taschen vom Großvater war ihr wichtig. Sie zählte es am Morgen, und sie zählte es am Abend. Dann wußte sie, wieviel Geld der

Großvater ausgegeben hatte, und glaubte auch zu wissen, was der Großvater getan hatte. Dann sagte sie zur Minna-Tante: »Er hat beim Wirten ein Krügel Bier getrunken. Ich versteh net, daß ihm des Gschlader schmeckt. Des schmeckt doch gar nimmer nach Bier. Na, wenigstens bsoffen wird man davon nicht!« Oft sagte sie auch: »Heut fehlt ihm so viel Geld, daß er vier Bier trunken haben müßt. Das hat er aber nicht. Das tät ich riechen. Da tät er nach Bier stinken. Er muß sich schon wieder im Schleichhandel eine Zigarren kauft haben. Daß er sich net schämt! So das Geld raushauen!« Manchmal sagte sie auch: »So viel Kleingeld, wie er heut im Sack hat, kriegt kein Mensch auf normale Art z'samm! Er hat schon wieder um Geld Karten gespielt. Das Geld hat er garantiert dem Pschistranek abgewonnen. Unglaublich, was der Mann immer für ein Glück hat!«

Die Großmutter war über das »Glück« vom Großvater nicht froh. Es ärgerte sie. Sie gönnte es ihm nicht. »Ich hab nie ein Glück«, sagte sie. Das stimmte natürlich nicht. Die Großmutter merkte ihr Glück bloß nicht. Sie paßte nur auf ihr Unglück auf.

Den Führerschein für das Motorrad hatte der Großvater in der Garage. Dort, wo das Motorrad stand. Die Garage war gleich um die Ecke, im Nachbarhaus, und schaute überhaupt nicht wie eine richtige

Garage aus. Ein uralter, rostiger Rollbalken war vor der Tür heruntergelassen. Über dem Rollbalken war ein großes Holzschild. Eines mit weißen Blockbuchstaben auf blauem Grund. Das Schild war sehr schmutzig, die blaue und die weiße Farbe waren an vielen Stellen abgeblättert. VIICH FIFP PPOI stand auf dem Holzschild. Das ergab keinen Sinn. Früher einmal, als der weiße Lack noch nicht abgeblättert gewesen war, hatte das geheißen: MILCH EIER BROT.

Seit zehn Jahren war der Milch-Eier-Brot-Laden zugesperrt. Die Milch-Eier-Brot-Frau lebte in einem Altersheim. Aber bevor sie ins Altersheim gezogen war, hatte sie dem Großvater den Schlüssel für den Rollbalken gegeben. Geheim natürlich! Denn der Großvater wollte für seine Garage keine Miete an den Hausherrn bezahlen. Darum konnte mir der Großvater das Motorrad auch nicht zeigen. Untertags waren ja immer Leute auf der Gasse, und viele alte Frauen schauten aus den Fenstern, und der Wirt stand oft vor der Wirtshaustür und tratschte mit der Fleischhauerin oder mit dem Schuster Giebel. Oder mit der Schneidermeisterin Hampasek. Und alle zwei Stunden machte ein Polizist die Runde. Die Leute hätten sich schön gewundert, wenn der Großvater einfach den alten Rollbalken hochgezogen hätte! Und wenn sie das Motorrad gesehen hätten, hätte der Großvater sein schönes Motorrad die längste Zeit gehabt! Man hätte es ihm weggenommen. Alle Autos und Motorräder wurden im Krieg beschlagnahmt. Man brauchte sie für die Soldaten. Bei uns in der Gegend hatte man nur dem Arzt das Auto gelassen. Darum war auch sehr wenig Verkehr auf den Straßen. Zum Spielen war das gut. Manchmal kam eine ganze Viertelstunde kein Auto durch unsere Gasse. Die Kinder konnten von einer Straßenseite zur anderen Wassermann-mit-welcher-Farbe-darf-ich-rüber spielen. Und am Straßenrand, den Gehsteig entlang, wuchs im Sommer sogar ein bißchen Gras.

Wie das Motorrad vom Großvater ausschaute, wußte ich trotzdem. Der Großvater hatte es mir genau beschrieben. Wie ein normales Motorrad schaute es aus. Schwarz lackiert war es, mit ziemlich viel Chrom dran und einer radiergummiroten Gummihupe. Daß es düsenschnell fahren konnte, sah ihm kein Mensch an. Der Großvater hatte den Superdüsenmotor erst selbst eingebaut. Den Superdüsenmotor hatte ihm ein Erfinder geschenkt. Der Erfinder hatte in unserem Haus gewohnt. Im ersten Stock. In der Wohnung über der Wohnung des Großvaters. Fünfzig Jahre lang hatte der Erfinder diesen Motor erfunden. Gerade als der Superdüsenmotor dann fertig war, hatte der Erfinder auswandern müssen, weil er ein Jude war und weil die Nazis in Österreich einmarschiert waren.

Der Erfinder hatte dem Großvater noch viele andere Sachen dagelassen. Die hob der Großvater im Kabinett, in einem großen, alten Kasten auf. Der Kasten war vollgestopft mit den Erfindersachen. Die Großmutter schimpfte darüber. »Das alte Graffel verstellt mir den Platz«, sagte sie. »Schmeiß doch den Schmarrn weg. Das kann sowieso kein Mensch mehr brauchen!«

Die Großmutter war dumm! Erstens kam es gar nicht darauf an, ob irgendwer die Sachen noch brauchen konnte, denn der Großvater hob die Sachen für den Erfinder auf. Er war sich ganz sicher, daß wieder andere Zeiten kommen würden, daß die Nazis nicht ewig an der Macht sein würden und daß der Erfinder dann zurückkommen und sich über die aufbewahrten Sachen freuen würde. Und zweitens waren die Sachen kein »altes Graffel«. Man konnte sie brauchen. Sehr gut sogar.

Da war eine Papierschneidemaschine. Die hatte ein langes, sehr scharfes Messer, mit dem konnte man Papier in haarfeine, kerzengerade Streifen schneiden, dünner als die dünnsten Suppennudeln und geringelt wie Stoppellocken.

Da war ein Feldstecher. Mit dem konnte man die

Blätter vom Kastanienbaum im Hof und die Spatzen und die Amseln in seinem Geäst ganz nahe heranholen. Oder man konnte mit dem Feldstecher quer über den Hof in die Küche der Frau Simon schauen und sehen, daß die Frau Simon ein Hendl ins Bratrohr schob. Dafür interessierte sich sogar die Großmutter, weil sie dann in der ganzen Gegend herumerzählen konnte, daß die Frau Simon ein echtes Hendl hatte. Ein echtes Hendl gab es im Krieg nicht zu kaufen. Die Frau Simon mußte es also im Schleichhandel gekauft haben. Und Schleichhandel war verboten.

Da waren viele dicke Bücher, mit bunten Bildern zwischen den Buchstabenseiten. Die Bilder konnte man anschauen. Und zwischen den Buchseiten konnte man Blumen pressen. Und wenn man ein Buch wie ein Dach aufstellte, konnte man die Eisenbahn durchfahren lassen. Wenn man viele Bücher wie Dächer aufstellte, hatte man eine ganze Stadt, und wenn man ein paar kleine Bücher auf die Dach-Bücher fallen ließ, stürzten die Dächer ein. Bombenangriff hieß das Spiel. Der Großvater mochte es nicht sehr. Er hatte Angst, die schönen Bücher könnten dabei kaputtgehen. Doch da übertrieb er. Mehr als daß eine Buchseite ein wenig zerknittert wurde, passierte nie.

Ein alter Radioapparat war auch bei den Erfindersachen. Einer, wo man nur mit Kopfhörern etwas hören konnte. Und auch nur der Großvater konnte etwas hören. Wenn ich die Kopfhörer aufsetzte, krachte und knarrte und knorzte es mir bloß in den Ohren. Aber setzte der Großvater die Kopfhörer auf, erzählte ihm ein Radiosprecher die aufregendsten Geschichten. Dem Großvater gelang es nämlich, den *Sender Geblergasse* zu empfangen. Wir wohnten in der Geblergasse. Der *Sender Geblergasse* war ein Geheimsender. Alle Neuigkeiten, die in der Geblergasse passiert waren, posaunte er aus. Der Geheimsender *Geblergasse* gab bekannt:

»… der Kehrbesen, den die Frau Fink am Montagabend kurze Zeit vor ihrer Wohnungstür stehenließ, wurde nicht, wie die Frau Fink argwöhnt, von ihrer Nachbarin, der Frau Cerny, gestohlen. Er wurde vom Herrn Oberlehrer Benedikt entwendet. Oberlehrer Benedikt schenkte den Kehrbesen am Dienstag seiner Frau Emma-Marie zum Geburtstag. Er tat dies, weil er das Geburtstagsgeschenk für seine Frau, ein Selbstporträt, mit Buntstiften gemalt, verpatzt hatte …«

Der *Geheimsender Geblergasse* gab auch bekannt: »… Das Zehner-Haus regt sich ganz zu Unrecht über das Gekläff und Gebell des Hundes Tasso auf, der bei der Kriegerwitwe Schneider wohnt. In Wirklichkeit bellt gar nicht der Hund Tasso. In Wirklichkeit bellt die Frau Hodina, die neben der Kriegerwitwe Schneider wohnt. Sie tut das, um der Frau Schneider Ärger zu machen. Den Ärger will sie der Frau Schneider deswegen machen, weil die Frau Schneider alles Fleisch, das sie auf die Lebensmittelmarken bekommt, an den Hund Tasso verfüttert. Das findet die Frau Hodina empörend …«

Der *Geheimsender Geblergasse* gab sogar bekannt, daß ich den Kloschlüssel der Frau Benedikt von der Klotür gezogen und hinter der Kellertür versteckt hatte. (In unserem Haus waren die Klos nicht in den Wohnungen, sondern auf dem Gang. Zu je drei Wohnungen gehörte ein Klo.)

Der *Geheimsender Geblergasse* flüsterte dem Großvater auch in die Ohren, daß ich meine Hausübung noch nicht gemacht hatte und daß ich meine Nachtmahlknackwurst an die Katze verfüttert hatte, die immer bei uns im Hof auf dem Hackstock saß. Daß ich die kleine Porzellanpuppe meiner Schwester zerbrochen und die Porzellanscherben in den Mistkübel geworfen hatte, wußte der Geheimsender auch. Er ließ mir ausrichten, ich solle schleunigst den Mistkübel ausleeren. Sonst würde das meine Schwester tun und dabei die Scherben entdecken, und dann könnte ich nicht länger behaupten, daß meine Schwester die Puppe im Hof vergessen habe und daß ein fremdes Kind gekommen sei und die Puppe gestohlen habe.

Der *Geheimsender Geblergasse* sagte dem Großvater auch oft, wohin er in der Nacht, wenn er wegen der schnarchenden Großmutter nicht schlafen konnte, fahren solle. Der Großvater fuhr mit dem Motorrad ja nicht einfach spazieren. Er hatte in der Nacht oft sehr wichtige Aufträge zu erledigen. Ganz geheime natürlich!

Einmal saß ich mit dem Großvater im Kabinett. Ich schnitt mit der Papierschneidemaschine alte Zeitungsblätter auf suppennudeldünne, stoppellockengeringelte Streifen. Aus denen wollte ich mir eine Perücke machen. Weil Fasching war. Als grauhaarige Hexe wollte ich mich verkleiden. Ich hätte mich natürlich lieber als Prinzessin oder als Fee oder als Tänzerin verkleidet. Aber dazu hätte ich ein Kleid aus schönem, feinem Stoff gebraucht, aus Samt oder Seide oder Spitze. Solche Stoffe gab es damals nicht zu kaufen. Es gab nicht einmal Stoff für ein ganz normales Kinderkleid zu kaufen. Sehr scheußlich waren alle meine Kleider. Sie waren aus alten Kleidern meiner Großmutter und meiner Mutter und der Minna-Tante genäht. Wenn mir ein Kleid zu kurz geworden war, nähte meine Mutter einfach einen handbreiten Streifen Stoff an den Saum. Wenn mir ein Kleid zu eng geworden war, stückelte mir meine Mutter einen handbreiten Streifen Stoff über dem Bauch ein. An ein Prinzessinnenkleid war also gar nicht zu denken. An ein richtiges Faschingsfest war auch nicht zu denken. Faschingsfeste waren im Krieg nicht erlaubt. Weder für die Kinder noch für die erwachsenen Leute. Alle lustigen Feste waren verboten. Ich wollte mit dem Großvater bloß ein bißchen und ganz geheim Fasching machen. Der Großvater sollte sich als Kohlenklau verkleiden. Der Kohlenklau war ein schwarzer Mann, den man auf vielen Plakatwänden sehen konnte. Der schwarze Mann schleppte einen großen, schwarzen Kohlensack auf dem Rücken. Auf den Plakaten stand: DER KOHLENKLAU GEHT UM!

Das sollte heißen: Geht sparsam um mit den Kohlen! Verschwendet sie nicht! Laßt keine Fenster offen, und dichtet die Türen ab!

Ich hatte von der Innenseite der Ofentür schwarzen Ruß geschabt. Damit wollte ich dem Großvater Gesicht und Hände schwarz einfärben. Doch der Großvater wollte sich nicht schwarz machen lassen. Er wollte kein Kohlenklau sein. Er wollte ein NSV-Schwein sein. NSV-Schweine konnte man in jedem Haus sehen, auf kleinen Plakaten. Die klebten am Schwarzen Brett, dort, wo angeschrieben war, wann der Gaskassier kommt und wer wann Waschtag hat und wann der Rauchfangkehrer die Kamine kehren wird. Auf den kleinen Plakaten waren rosige Schweine. Unter denen stand gedruckt, daß man die Küchenabfälle nicht in die gewöhnlichen Mistkübel werfen dürfe, sondern in den NSV-Extrabottich. Den holte einmal in der Woche der Mistbauer ab und brachte ihn zu einem Schweinestall. Wenn ich mir das Schweinefutter im NSV-Bottich anschaute, grauste mir schrecklich. Dann tat es mir gar nicht leid, so wenig Fleisch zu bekommen.

»Ich zieh mir den Schlafrock von meiner Alten an«, sagte der Großvater. »Der ist richtig schweinsrosa. Dann bin ich vom Hals bis zu den Wadeln ein echtes Schwein.«

»Du bist aber viel zu dünn für ein Schwein!« sagte ich.

»Absolut nicht«, sagte der Großvater. »Im Krieg sind alle Schweine dünn.«

»Du willst dich bloß nicht dreckig machen«, sagte ich.

»Ich red dir ja auch nicht drein, wer du sein willst«, sagte der Großvater.

»Die Großmutter borgt dir aber den Schlafrock gar nicht«, sagte ich. Das war ein gutes Argument von mir! Die Großmutter hätte den rosa Schlafrock sicher nicht zum Spielen hergeborgt. Sie wollte überhaupt nicht, daß der Großvater mit mir spielte. Spielen war nur für Kinder! Erwachsene Leute sollten arbeiten! Die Großmutter hätte viele Arbeiten für den Großvater gewußt. Das Kellerabteil hätte er aufräumen sollen, mit einem Besen hätte er auf die Leiter steigen und Spinnweben von der Zimmerdecke kehren sollen, Kohlen aus der Kohlenkiste im Hof hätte er holen sollen, Holzscheiter auf dünne Späne hätte er hacken sollen, und die Bettvorleger hätte er über der Klopfstange im Hof ausklopfen sollen. Auch die Zeitung hätte er der Großmutter vorlesen sollen. Die Großmutter las nicht gern selbst. Sie sah nicht schlecht, aber sie tat sich schwer beim Lesen. Sie las sehr langsam und bewegte dabei immer die Lippen.

»Und wenn ich ganz schwarz im Gesicht bin«, sagte der Großvater, »dann wird sie auch keppeln!«

Das war ein gutes Argument vom Großvater! Ruß wegwaschen war ja auch gar nicht so einfach. Zum Waschen gab es nur die Waschschüssel in der Küche. Wollte man warmes Wasser zum Waschen, mußte man das Wasser in einem Topf über einer Gasflamme warm machen. Das kalte Wasser mußte man in der Wasserkanne von der Gang-Bassena holen. Und das schmutzige Waschwasser mußte man aus der Waschschüssel in einen Kübel schütten, den Kübel mußte man zum Klo tragen und in die Klomuschel leeren. Sich waschen war eine Menge Arbeit!

»Dann feiern wir eben gar nicht Fasching«, sagte ich. Ich war grantig, weil mir die Perücke nicht gelingen wollte. Ich versuchte die Papierstreifen auf eine alte Gummibadehaube zu kleben. Doch die Papierstreifen wollten auf dem Gummi nicht festkleben. Sie pickten alle auf meinen Fingern. Wie riesige Flederwische schauten meine Hände schon aus.

»Fasching zu zweit ist sowieso nicht sehr lustig«, sagte der Großvater. Er drehte am alten Radioapparat herum und setzte die Kopfhörer auf. Ich riß alle Papierstreifen von den Fingern und rubbelte die Kleberwuzerln weg.

»Hörst was, Großvater?« fragte ich.

Der Großvater nickte.

»Den Geheimsender?« fragte ich.

Der Großvater nickte wieder.

»Was sagt er?« fragte ich.

Der Großvater winkte mir, still zu sein. Ich stellte mich dicht zum Großvater. Aus den Kopfhörern hörte ich es leise knorzen und knarren und krächzen. Stimme hörte ich keine, doch der Großvater lauschte ganz angespannt. Ziemlich lange lauschte er. Ich wurde ungeduldig und zupfte den Großvater an einem Schnurrbartzipfel. Der Großvater nahm die Kopfhörer ab und schaltete das Radio aus. Er seufzte. Ich schaute ihn erwartungsvoll an.

»Schon wieder so eine bodenlose Sauerei«, sagte der Großvater.

»Was ist passiert?« fragte ich und kletterte dem Großvater auf den Schoß. Der Großvater deutete auf das Radio. »Er hat gerade von einem Otto-Hans geredet. Von einem Otto-Hans Müller. Das ist ein kleiner Bub aus dem Siebziger-Haus.«

»Kenn ich nicht«, sagte ich. Das Siebziger-Haus war drei Häuserblöcke weiter. Ich kannte nur die Kinder aus unserem Häuserblock.

»Das ist einer, der in der Nacht Angst hat«, sagte der Großvater.

Ich lachte. Ich lachte immer, wenn ich von Kindern hörte, die in der Nacht Angst haben. Ich hatte in der Nacht auch Angst. Riesenangst hatte ich, wenn ich in der Nacht wach wurde, und um mich herum war alles stockfinster. Dann hörte sich das Atmen meiner Schwester so merkwürdig an, und ich dachte: Da schnauft jemand Fremder! Manchmal knackte auch irgend etwas, und ich dachte: Da schleicht jemand herum! Dann war meine Angst so groß, daß ich nicht einmal wagte, einen Arm aus der Decke zu strecken, um die kleine Lampe auf dem Nachtkastel anzuknipsen. Und schon gar nicht wagte ich, aus dem

28

Bett zu steigen und aufs Klo zu gehen. Nie hätte ich das geschafft! Dabei wurde ich in der Nacht doch meistens nur wach, wenn ich dringend aufs Klo mußte. Oft lag ich dann zitternd im Bett und wartete verzweifelt auf das Morgengrauen, um endlich zum Klo laufen zu können. Aber von dieser Angst erzählte ich niemandem. Ich hoffte, die Angst würde in der Nacht wegbleiben, wenn ich sie am hellichten Tag auslachte.

»Und dieser Otto-Hans hat einen großen Bruder«, sagte der Großvater, »und dieser große Bruder ist ein echtes Schwein. Der macht dem Otto-Hans die Nachtangst noch größer. Er steigt nämlich aus dem Bett und hängt sich ein Leintuch über den Kopf und schleicht zum Bett vom Otto-Hans und tanzt vor dem Bett herum und stöhnt und wimmert und schnauft und grölt und tut, als wäre er ein Gespenst. Und der arme Otto-Hans macht vor Schreck ins Bett und fürchtet sich zu Tode und wird von Nacht zu Nacht immer verzweifelter und immer unglücklicher.«

»Warum schreit er denn nicht nach seiner Mutter?« fragte ich den Großvater. Nach der Mutter zu schreien war für mich der allerletzte Ausweg aus der Nachtangst.

»Weil seine Mutter in der Nacht nicht daheim ist«, sagte der Großvater. »Seine Mutter ist Kranken-

schwester in einem Lazarett. Sie hat immer Nacht-
dienst.«

»Wirst du was unternehmen, Großvater?« fragte
ich.

Der Großvater seufzte. »Ich werde nachdenken«,
sagte er. »Aber leicht ist das nicht.«

Dann rief die Großmutter den Großvater zur Jause.
Hinterher schickte sie ihn Holz hacken. Nachher
mußte er die Pendeluhr reparieren. Die ging seit ein
paar Tagen zu langsam. Um eine ganze Stunde war sie
schon zu spät dran. Und dann ging der Großvater ins
Kaffeehaus. Über den Otto-Hans redeten wir an diesem Tag nicht mehr. Auch am Abend nicht. Aber ich
war mir ganz sicher, daß der Großvater etwas unternehmen würde. Einem wie dem Otto-Hans mußte
einfach geholfen werden!

Am nächsten Morgen war der Großvater fast nicht
wach zu bekommen. Dreimal mußte ich ihn in den
Bauch zwicken; viel stärker als sonst. Und mit dem
Gähnen konnte er überhaupt nicht aufhören.

»Warst du beim Otto-Hans?« fragte ich.

Der Großvater rieb sich die Augen und gähnte. »Was
denn sonst?« murmelte er.

»Und was war?« fragte ich. Aber wie immer mußte
ich bis Mittag auf die Antwort warten, denn die Groß-

mutter kam ins Zimmer und schimpfte, daß es längst Zeit zum Schulegehen sei. Da blieb mir nichts anderes übrig, als die Schultasche zu nehmen und loszugehen. Aber mir war klar, daß in der Nacht etwas sehr Außergewöhnliches passiert sein mußte, denn der Großvater hatte eine dicke, rote Nase. Als ich aus dem Zimmer marschierte, rief mir die Großmutter nach: »Jetzt wirst die Gripp kriegen, weilst den Alten abbusselt hast. Der hat nämlich die Gripp!«

»Einen Schmarrn hab ich die Gripp«, hörte ich den Großvater sagen. Und die Großmutter hörte ich rufen: »Na, net! Wieso hast dann so eine dicke, rote Nasen? Kannst mir das erklären?«

Kichernd lief ich aus dem Haus. Daß der Großvater der Großmutter die rote Nase – egal, woher er sie hatte – nicht erklären würde, war klar. Solche Sachen erklärte er nur mir. Mir ganz allein!

Nach der Schule und nach dem Mittagessen und nach dem Aufgabeschreiben, als ich wieder beim Großvater war, erfuhr ich dann, was in der Nacht geschehen war und warum der Großvater die rote Nase hatte.

Der Großvater war gegen Mitternacht aus dem Fenster gestiegen und hatte sein Motorrad aus der Garage geholt. Natürlich hätte er bis zum Siebziger-Haus auch zu Fuß gehen können. Aber er fuhr eben für sein Leben gern Motorrad. Er fuhr die stockfinstere Gasse hinunter. Die Straßenlaternen brannten in der Nacht nicht. Wegen der Bombenflieger. Damit die nicht sofort erkennen konnten, daß sie über eine große Stadt flogen. Aus den Fenstern der Häuser durfte auch kein Licht dringen. Die mußten mit Rollos verdunkelt sein. Sogar die Fenster der Straßenbahnen waren blau angestrichen. Die Scheinwerfer der Autos und Motorräder und Straßenbahnen auch. Nur ein winziger Querstreifen war ohne blaue Farbe. So fiel ein schmaler Lichtstreifen auf die Fahrbahn.

Der Großvater hatte seinen Motorradscheinwerfer nicht blau angemalt. Er fuhr in der Nacht ganz ohne Licht.

»Ich habe Katzenaugen«, sagte der Großvater. »Ich sehe in der Nacht so gut wie am Tag.«

Vor dem Siebziger-Haus hielt der Großvater an und stieg vom Motorrad und nahm den alten, schwarzen Kohlensack vom Gepäckträger. Den hatte er extra mitgenommen. Den brauchte er für das, was er vorhatte.

Die Haustür war natürlich versperrt. Zuerst dachte der Großvater: Ich werde warten, ob noch jemand heimkommt und die Haustür aufsperrt. Hinter dem kann ich dann hurtig ins Haus hinein schlüpfen! Aber dann dachte der Großvater: Wer kommt denn schon nach Mitternacht heim? Kein Mensch! Es muß einen anderen Weg ins Haus geben!

Es war bitterkalt auf der Gasse. Sogar zu schneien fing es an. Der Großvater hatte vergessen, die Wollsocken anzuziehen. Die Pudelhaube hatte er auch nicht aufgesetzt. Nicht einmal die warmen Fäustlinge hatte er angezogen. Um nicht einzufrieren, ging der Großvater vor dem Siebziger-Haus auf und ab. Da entdeckte er, daß das Kellerfenster neben der Haustür nicht richtig verschlossen war. Es war bloß angelehnt.

Der Großvater drückte das Kellerfenster auf und rutschte durch das Kellerfenster in den Keller hinunter. Auf einen großen Kohlenhaufen plumpste er. Der Kohlenhaufen war in einem Holzverschlag, und der Holzverschlag war von außen mit einem Vorhängeschloß versperrt. Doch ein einziger fester Tritt vom Großvater genügte, dann war die Holzlattentür aus den Angeln getreten.

Die Kellertür war nicht versperrt. Im Krieg standen die Kellertüren immer offen. Damit die Leute, wenn die Bombenalarm-Sirenen heulten, schnell in die Keller hinunter laufen konnten und sich nicht erst lange mit dem Türenaufsperren aufhalten mußten.

Der Großvater kam vom Keller auf einen Gang. Neben der Kellertür standen zwei alte Zinkkübel. Das waren die Sandkübel. Kübel mit Sand mußten in jedem Haus stehen, für den Fall, daß eine Brandbombe auf das Haus fallen sollte. Sand löscht ein Feuer viel besser als Wasser. Aber die zwei Zinkkübel im Siebziger-Haus waren leer. Wahrscheinlich war die Hausmeisterin eine schlampige Frau. Vielleicht war sie auch eine kluge Frau und dachte sich: Mit ein paar kleinen Kübeln Sand läßt sich sowieso kein großes Feuer löschen!

»Ihr kommt mir gerade recht«, murmelte der Großvater. Er nahm in jede Hand einen Zinkkübel. Er schaute sich um. Er hatte ja keine Ahnung, hinter welcher Tür der Otto-Hans wohnte. Der Radiosprecher vom Geheimsender hatte die Türnummer nicht verlautbart. So ging der Großvater von Wohnungstür zu Wohnungstür, um das Türschild mit dem Namen MÜLLER zu finden. Als er bei der letzten Tür im Erdgeschoß angekommen war, huschte eine dicke Ratte an seinen Füßen vorbei.

»He, werte Ratte«, fragte der Großvater leise, »wo wohnt denn hier bitte der Otto-Hans?«

Die Ratte blieb stehen, stellte sich auf die Hinterpfoten, pfiff zweimal kurz und verschwand dann in einem kleinen Mauerloch unter der Gang-Bassena. Das wird wohl »2. Stock« geheißen haben, dachte der Großvater und stieg mit dem Kohlensack und den Kübeln in den zweiten Stock hinauf. Dort waren fünf Wohnungstüren, aber nur an einer Tür war ein Türschild. HUBATKA NEPOMUK stand auf dem Schild. So schlich der Großvater von Tür zu Tür und schnupperte an den Schlüssellöchern. Weil Kinderangst einen Geruch hat. Einen traurigen Geruch. Beim ersten Schlüsselloch roch er Schmierseife, beim zweiten gar nichts, beim dritten roch er ranziges Schmalz. Beim vierten Schlüsselloch war der Geruch richtig. Der Großvater drückte die Türklinke nieder, aber die Tür war natürlich zugesperrt. Über der Tür war eine gläserne Oberlichte. Die war, das sah der Großvater sofort, bloß mit zwei kleinen Riegeln festgemacht. Allerdings waren die Riegel an der Innenseite der Oberlichte. Aber wer Uhren reparieren kann, ohne Uhrmacher zu sein, und Düsenmotoren einbauen kann, ohne Mechaniker zu sein, für den sind zwei kleine Riegel an einer Oberlichte kein großes Problem. Der Großvater holte einen Schraubenzieher aus der Manteltasche, drehte die zwei Kübel um und stieg auf die Kübel. Mit je einem Fuß auf einen Kübel. Sonst hätte er ja nicht an die Oberlichte herangereicht. In Null Komma Josef hatte er die Oberlichte abmontiert. Wäre der Großvater um ein halbes Jahrhundert jünger gewesen, wäre er auch in Null Komma Josef durch die offene Oberlichte in die Küche hinein gekommen. Mit einem einfachen Klimmzug hätte er das spielend geschafft! Aber der Großvater schaffte keinen Klimmzug mehr. Seine Arme waren zu schwach. Er konnte sich an ihnen nicht hochziehen. Schnaufend probierte er gut ein dutzendmal. Dann gab er auf und setzte sich auf einen Zinkkübel. Traurig dachte er: Das Unternehmen Otto-Hans werde ich wohl oder übel aufgeben müssen!

Doch da hörte der Großvater ein leises Pfeifen und sah, daß die Ratte neben ihm, auf dem anderen Zink-kübel, saß.

»Du könntest leicht durch diese Oberlichte«, sagte der Großvater zur Ratte.

Die Ratte pfiff zustimmend.

»Und wenn du dich ein bißchen bemühen würdest«, fuhr der Großvater fort, »könntest du den Türschlüssel in der Küche finden, könntest ihn ins Maul nehmen und mir bringen.«

Die Ratte pfiff wieder zustimmend.

»Dann sei so gut und mach es«, sagte der Großvater. »Es handelt sich hier nämlich um eine ausgesprochen gute Tat.«

Die Ratte sprang auf die Türklinke und von dort auf die offene Oberlichte und verschwand. Lange mußte der Großvater nicht warten. Höchstens eine Minute war vergangen, da tauchte die Ratte wieder auf, saß in

der Oberlichte und warf dem Großvater den Türschlüssel in den Schoß.

»Danke, werte Ratte«, sagte der Großvater.

Die Ratte pfiff dreimal, sprang auf die Türklinke und
von dort auf den Kübel und vom Kübel auf den Boden
und rannte zur Treppe und war verschwunden. Der
Großvater sperrte die Wohnungstür auf und betrat die
Küche. Aus dem Zimmer hinter der Küche hörte er
ein leises, klägliches Gewimmer.

Na warte, dachte der Großvater. Aug um Aug,
Zahn um Zahn und Angst um Angst! Der Großvater schlich zur Küchenkredenz und holte einen
großen Gußeisenhefen heraus. Den setzte er als
Hut auf. Er zog seinen grauen Mantel aus und
kehrte die Innenseite des Mantels nach außen, weil
der Mantel ein schwarzes Futter hatte. Dann zog er
den Mantel wieder an. So, daß die Knöpfe am
Rücken waren. So, daß der Großvater vom Kinn
bis zu den Waden auf der Vorderseite kohlraben-
schwarz war. Und zwei schwarze Socken, die über
dem Herd zum Trocknen hingen, zog sich der
Großvater als Fäustlinge über die Hände. Den
Kohlensack legte er sich über eine Schulter. Mit
den Füßen stieg er in die Zinkkübel. So, als ob
Zinkkübel Übergaloschen wären. Dann schepperte
der Großvater in das Zimmer hinein und brüllte:

»Ha! Jetzt holt der schwarze Kohlenklau das vertrottelte Gespenst!«

Im Zimmer war es stockfinster. Hätte der Großvater keine Katzenaugen gehabt, hätte er überhaupt nichts gesehen. Aber mit den Katzenaugen sah er zwei Kinderbetten. Eines war leer. Im anderen war ein zittriger Deckenberg, aus dem es wimmerte.

Vor dem Bett mit dem Deckenberg stand das Leintuchgespenst. Stocksteif stand es da. Aber nicht lange. Dann brüllte es, nicht minder laut als der Großvater: »Was willst du bei uns, vertrottelter Kohlenklau? Wir haben gar keine Kohlen mehr. Wir klauen selbst welche! Aus dem Keller vom Nachbarn!«

Der Großvater dachte: Der Kerl hat deshalb keine Angst vor mir, weil er mich nicht sehen kann. Ich muß Licht machen!

Das große Deckenlicht anzuknipsen hielt der Großvater nicht für ratsam. Das wäre zuviel Helligkeit gewesen. Da hätte der Bruder vom Otto-Hans erkannt, daß er einen verkleideten Großvater vor sich hatte. Die kleine Leselampe auf dem Nachtkastel vom Otto-Hans erschien dem Großvater gerade richtig schummrig-hell. Er schlurfte zum Nachtkastel und drehte dort das Licht an.

Schaurig-scheußlich muß der Großvater ausgesehen

haben, wie er so dastand, oben gußeisern, unten zinkern und dazwischen rabenschwarz. Jedes normale Kind hätte garantiert vor Schreck in die Hosen gemacht! Doch der Bruder vom Otto-Hans riß sich das Leintuch vom Kopf, kletterte auf den Tisch und sprang von dort den Großvater an. Wie ein Rucksack hing er am Großvater. Allerdings nicht am Rücken, sondern am Bauch. Die Beine hatte er um die Taille vom Großvater geschlungen, einen Arm preßte er um den Hals vom Großvater, und mit der freien Hand drosch er auf den Gußeisentopf ein. Der Gußeisentopf rutschte dem Großvater über die Augen und über die Nase. Er quetschte ihm die Nase flach. Der Großvater brüllte vor Schmerz, und der Bruder vom Otto-Hans schrie: »So, jetzt ist es aus mit dir, du hundselendiger Kohlenklau, jetzt bist du gleich abgemurkst! Dafür bekomme ich einen Orden vom Fähnlein-Führer!«

Der Großvater schwankte und taumelte und fiel hin. Seine Füße rutschten aus den Zinkkübeln. Die Zinkkübel rollten scheppernd durch das Zimmer. Der Großvater versuchte, den Gußeisentopf vom Kopf zu bekommen, doch der verdammte Hefen saß unheimlich fest, und wenn der Großvater an den Topfhenkeln zog, tat ihm die gequetschte Nase schrecklich weh.

Der Otto-Hans-Bruder hockte am Bauch vom Großvater und drosch mit beiden Fäusten auf den Großvater ein. Der Großvater konnte die Hiebe nicht
einmal abwehren, weil er ja beide Hände an den Topfhenkeln hatte. Fast hätte der miese Kerl den Großvater besiegt! Doch da packte den Großvater die Wut.
Meistens war der Großvater ein sanfter Mensch. Einer ganz ohne Wut. Die Wut packte ihn nur hin und
wieder, aber dafür war sie dann riesenstark und rie-
sengroß und riesenrot.

Du wirst dich doch von so einem miesen jungen Dutter nicht unterkriegen lassen, brüllte die riesengroße,
riesenstarke, riesenrote Wut im Großvater. Der
Großvater brüllte: »Nein, das werd ich nicht!«, und
riß sich mit einem Ruck den Gußeisentopf vom Kopf.
Er sprang auf, packe den Otto-Hans-Bruder, zog den
Kohlensack über den Kerl, kippte den Sack samt Kerl
um, band den Sack zu, machte die Schranktür auf,
warf den Sack in den Schrank, drückte die Schranktür
zu, drehte den Schlüssel im Schloß, zog den Schlüssel
ab und warf ihn unter den Schrank. Dann setzte er
sich schnaufend und keuchend und ein bißchen zittrig
von der Anstrengung auf das Bett vom Otto-Hans.
»Du kannst rauskommen«, sagte er. »Deinen Scheu-
salbruder habe ich in den Schrank gesperrt.«
Aus dem Deckenberg klagte es: »Ich komm nicht

raus. Ich habe nicht nur vor Gespenstern Angst. Ich habe auch vor dem Kohlenklau Angst. Vor dem habe ich sogar noch viel mehr Angst!«

Der Großvater klopfte auf den Deckenberg. »So komm schon raus«, sagte er. »Ich bin genausowenig ein Kohlenklau, wie dein blöder Trottelbruder ein Gespenst ist. Ich bin, Ehre-schwöre, ein ganz normaler Großvater.«

»Ehrlich wahr?« fragte es aus dem Deckenberg. Die Stimme vom Otto-Hans klang nicht mehr ganz so jämmerlich.

»Ehrlich wahr«, sagte der Großvater und hob die rechte Hand und streckte die Schwurfinger aus und zog mit der linken Hand die Decke vom Otto-Hans, damit der Otto-Hans die Schwurfinger sehen konnte. Der Otto-Hans sah die Schwurfinger und sah den Großvater, und weil der Großvater den Gußeisentopf nicht mehr auf dem Kopf hatte und die schwarzen Sockenfäustlinge nicht mehr an den Händen und der Mantel von seinen Schultern gerutscht war, sah er ein, daß er vor dem Großvater keine Angst zu haben brauchte.

»Und wie geht es jetzt weiter?« fragte er den Großvater. Der Großvater seufzte. So genau wußte er das nämlich auch nicht. Seine Idee, dem großen Bruder so einen gewaltigen Schreck einzujagen, daß sich der das

Gespensterspielen abgewöhnen werde, hatte ja keinen Erfolg gehabt.

»Nimm meinen Bruder mit«, sagte der Otto-Hans. »Ich sage der Mutti morgen in der Früh, daß ich keine Ahnung habe, wo er hingekommen ist.«

»Wohin soll ich den Kerl denn bringen?« fragte der Großvater.

»Behalt ihn dir«, schlug der Otto-Hans vor.

»Unmöglich«, rief der Großvater. »Erstens mag ich ihn nicht, zweitens wären meine Frau und meine Enkeltochter dagegen. Und drittens würde er doch wieder heimlaufen. Ich wohne nur drei Gassen weiter.«

Der Großvater rieb sich die rotgequetschte Nase und dachte nach. Aus dem Schrank ächzte und stöhnte es; aber nur sehr leise, denn der Schrank war aus starkem Holz getischlert.

»Wenn du ihn nicht mitnimmst«, sagte der Otto-Hans und fing zu weinen an, »wird aber alles noch viel ärger. Wenn er aus dem Schrank rauskommt, prügelt er mich aus Rache windelweich.« Der Otto-Hans schaute ängstlich zum Schrank hin. Dann wischte er sich die Tränen aus den Augen und stieg aus dem Bett. Er nahm seine Kleider vom Sessel und zog sich an.

»Ich kann nicht hierbleiben«, sagte er zum Großvater. »Ich gehe mit dir.«

»Da wird deine Mutter aber sehr traurig sein, wenn du

morgen in der Früh nicht da bist«, sagte der Großvater.

»Meine Mutter ist sowieso schon traurig«, sagte der
Otto-Hans. »Weil ich morgen sowieso nicht mehr da
bin. Ich soll morgen vormittag auf Kinder-Landver-
schickung fahren. Zusammen mit meinem Bruder.
Wegen der Bomben. Nach Tirol. Weil dort kein Krieg
ist.«

Der Otto-Hans schlüpfte in die Schuhe und schnürte
sie zu. Er zeigte zur Tür. Ein kleiner und ein noch
kleinerer Koffer standen dort. »Wir haben schon alles
gepackt«, sagte er. Er ging in die Küche und holte
seinen Mantel vom Haken. Der Großvater half ihm in
den Mantel hinein. Der Otto-Hans zog aus einer Manteltasche seine Pudelhaube und aus der anderen seine
Fäustlinge. Er setzte die Pudelhaube auf und stülpte
sich die Fäustlinge über die Hände. Er nahm den noch
kleineren Koffer in die eine Hand und gab dem Großvater die andere Hand.

»Ich bin lieber mit dir im Krieg als mit meinem Bruder
ohne Krieg«, sagte er.

Dem Großvater blieb nichts anderes übrig, als die
Hand vom Otto-Hans zu nehmen. Den Haustor-
schlüssel nahm der Großvater auch vom Schlüssel-
brett, und die Decke holte er noch aus dem Bett vom
Otto-Hans.

Zum Abschied klopfte der Großvater an den Schrank und sagte: »Ich hoffe, du fühlst dich da drinnen recht wohl, du tapferer, starker Knabe!« Der Großvater konnte manchmal ziemlich boshaft sein.

Bevor der Großvater mit dem Otto-Hans die Wohnung verließ, schrieb er mit einem Kohlestück an die weiße Zimmerwand.

In riesengroßen Buchstaben schrieb er:

Der Großvater schrieb immer in Kurrentschrift. Die hatte er in der Schule gelernt. Was er schrieb, heißt: *Werte Frau Müller! Das eine Kind ist im Kasten, das andere in Sicherheit!*

»Wohin gehen wir denn?« fragte der Otto-Hans den Großvater, als sie aus dem Siebziger-Haus traten.

»Wir gehen nicht, wir fahren«, sagte der Großvater und wickelte den Otto-Hans samt seinem Köfferchen in die Decke und setzte ihn auf den Sozius. So nannte man damals den Beifahrersitz vom Motorrad. Der Großvater holte einen langen Strick aus der Manteltasche und stieg auf das Motorrad und band sich den Otto-Hans mit dem Strick fest an den Rücken. Damit der Otto-Hans während der Fahrt nicht vom Motorrad fallen konnte. Dann startete der Großvater und fuhr die Gasse hinunter zur Hauptstraße, die Hauptstraße hinaus, dem Stadtrand zu. Immer schneller wurde er. Düsenschnell wurde er. Überschallschnell wurde er. Auf der Landstraße blieb er auch nicht. Quer über verschneite Wiesen und vereiste Bäche flitzte er. Er hatte einen weiten Weg vor sich. Er fuhr zum Berg, der *Die zwei Zuckerhüte* heißt, weil er zwei Gipfel hat, die wie Zuckerhüte aussehen. In Wirklichkeit aber müßte der Berg *Die sechs Zuckerhüte* heißen, weil er in Wirklichkeit sechs Gipfel hat, die wie Zuckerhüte aussehen. Bloß merkt man das vom Tal aus nicht, denn vier der Gipfel sind immer in den Wolken.

Nach einer Stunde rasanter Düsenfahrt war der Großvater beim Zuckerhutberg. Ein schmaler Weg führte den Berg hinan. Doch der schlängelte sich in engen Kurven hoch. Zickzack dauert länger als schnurstracks, sagte sich der Großvater. Er gab Gas und sauste den Berg schnurstracks hinauf, über schneebedeckte Felder und Wiesen, über Almen und Latschen und Geröll. Dabei betete der Großvater. Der Großvater betete selten. Meistens war er böse auf den lieben Gott und sagte: »Ich will nichts mehr wissen von ihm, weil er soviel Gemeinheit und Ungerechtigkeit zuläßt!«

Aber wenn der Großvater große Angst oder großen Kummer hatte, dann betete er doch. In der letzten Zeit betete er sogar ziemlich oft, weil von meinem Vater schon lange kein Brief gekommen war. Nicht einmal eine Feldpostkarte. Der Großvater hatte Angst, die Russen könnten meinen Vater totgeschossen haben. Er betete darum, daß die Briefträgerin endlich einen Brief von meinem Vater bringen möge. Aber das war ein Geheimnis zwischen dem Großvater und mir. Freiwillig hatte er mir das Geheimnis nicht verraten. Ich hatte ihn einmal aus der Kirche herauskommen gesehen. Da war ihm gar nichts anderes übriggeblieben, als mir die Wahrheit zu sagen.

Nun betete der Großvater, weil er Angst hatte, den schmalen Durchgang zwischen den zwei Zuckerhüten zu verfehlen. Zwischen denen konnten nicht einmal Bergsteiger durchkraxeln. Viele hatten es schon versucht, alle waren auf dem lockeren Geröll ins Rutschen gekommen und in die Latschen hinuntergekugelt. Darum nannten die Bergsteiger den Zuckerhutberg auch *Der unbezwingbare Berg*.

Mein Großvater war kein tollkühner Mann. Manche Leute hielten ihn sogar für einen Feigling. Das waren die, die nicht unterscheiden können zwischen dem dummen Mut und dem gescheiten Mut. Vom Zehnmeterbrett ins Wasser springen oder in einen Löwenkäfig gehen, davon hielt der Großvater nichts. Er stieg nicht einmal auf eine Leiter mit morschen Sprossen. Er streichelte nicht einmal einen Hund, der bissig dreinschaute. Er war nur mutig, wenn Mut dringend notwendig war. Und jetzt war Mut dringend notwendig!

»Himmelvater, steh mir bei«, flüsterte der Großvater und gab Vollgas. Das Motorrad hob vom Boden ab, sauste raketenschnell zwischen den Zuckerhüten durch, flitzte noch ein bißchen durch die Luft und landete dann unversehrt samt Großvater und Otto-Hans im geheimen Tal der versteckten Kinder.

Das geheime Tal der versteckten Kinder war nicht sehr groß. Eine kreisrunde Ebene war es, umgeben von den sechs Zuckerhüten und überdacht mit dikken, weißen Wolken.

Vom geheimen Tal der versteckten Kinder hatte mir der Großvater schon oft erzählt. Manchmal überlegte ich mir sogar, ob ich mich vom Großvater nicht auch dorthin bringen lassen sollte. Ganz sicher aber war ich, daß ich dorthin gehen würde, für den Fall, daß ich einmal ganz allein sein sollte. Das hätte ja leicht passieren können. Eine Bombe hätte auf unser Haus fallen und alle Leute im Keller totmachen können. Und nur ich wäre zufällig am Leben geblieben. Wenn wir im Keller unten hockten und die Bombenflieger über uns flogen und die Kellerwände bebten, dann dachte ich immer an das geheime Tal der versteckten Kinder. Das war gut gegen die Angst.

Das Tal hinter den Zuckerhüten hatte Albicoco entdeckt. Albicoco war ein Freund vom Großvater. Ein pensionierter Oberlehrer war er. Albicoco nannte ihn nur der Großvater. Die anderen Leute sagten »Herr Oberlehrer Pschistranek« zu ihm. Albicoco wohnte weit draußen, am Stadtrand, dort, wo alle Häuser in einem Garten stehen. Manchmal besuchte ich Albicoco mit dem Großvater. Ich sagte »Herr Oberlehrer Albicoco« zu ihm. Einfach Albicoco zu sagen traute ich mich nicht. Ein Oberlehrer, auch ein pensionierter, war eine Respektsperson!

In Albicocos Haus hingen viele Bilder an den Wänden. Auf allen waren Segelflieger und Sportflugzeuge. Albicoco war früher ein berühmter Sportflieger gewesen. Pokale, die er beim Sportfliegen gewonnen hatte, standen in seiner Wohnung auch herum. Albicoco nahm sie als Geschirr. Seinen Frühstückstee trank er aus einem Bronzepokal, seine Mittagssuppe löffelte er aus einem Silberpokal, und sein Nachtmahlgrießkoch servierte er sich in einem Goldpokal.

Damals, als Albicoco das geheime Tal entdeckt hatte, war er noch ein junger Lehrer gewesen. Viele, viele Jahre vor dem Krieg war das gewesen. Damals hatte er sich mit seinem kleinen roten Sportflugzeug verirrt und war zwischen den Zuckerhüten notgelandet. Jahrelang hatte Albicoco im geheimen Tal bloß Sommerferien gemacht. Den Großvater, der zu dieser Zeit noch nicht verheiratet war, hatte er auch mitgenommen. Zusammen hatten sie im geheimen Tal eine Holzhütte gebaut. Und eine Quelle eingefaßt. Und eine Bank hatten sie getischlert. Auf der saßen sie am Abend vor dem Haus und schauten zufrieden zum Himmel, in die dicken, weißen Wolken.

Dann waren etliche Jahre vergangen. Aus Albicoco war ein Oberlehrer geworden. Als er einige Jahre lang Oberlehrer war, kamen die Huber-Kinder in seine Schule. Jedes Jahr kam ein Huber-Kind in die erste Klasse, bis sechs Huber-Kinder in der Schule waren. Im ganzen waren es neun Huber-Kinder. Drei waren noch zu klein für die Schule. Die Huber-Kinder hatten böse Eltern. Mit blauen Flecken und roten Striemen kamen sie in die Schule. Albicoco ging oft am Nachmittag zu den Huber-Eltern und redete ihnen gut zu. Aber das nützte nichts. Er drohte ihnen auch.

Das nützte wieder nichts. »Was wir mit unseren Kindern tun, geht niemanden etwas an«, sagte der Huber-Vater. Und dann machte er nicht einmal mehr die Tür auf, wenn Albicoco kam.

»Das darf nicht sein«, sagte sich Albicoco. Er ging zu Gericht und zeigte die Huber-Eltern an. Das Gericht entschied: »Die Huber-Kinder werden den Huber-Eltern weggenommen und kommen in ein Kinderheim.«

Die Huber-Kinder kamen aber nicht in *ein* Heim, jedes Huber-Kind kam in ein anderes Heim. In keinem der neun Heime war es schön. Die Huber-Kinder waren nicht glücklicher als vorher, obwohl sie nicht mehr geprügelt wurden. Bloß auf eine andere Art unglücklich waren sie.

»Das darf nicht sein«, sagte sich Albicoco. Er ging wieder zu Gericht. Er wollte die Huber-Kinder adoptieren. Doch das Gericht erlaubte das nicht. Das Gericht erklärte: »Erstens haben Sie keine Frau, die auf die Huber-Kinder aufpassen kann, und zweitens verdienen Sie zuwenig Geld, um neun Kinder ordentlich zu ernähren und zu kleiden.«

Albicoco legte Beschwerde ein. »Erstens«, schrieb er an das Gericht, »wird meine Tante Emma auf die Kinder aufpassen. Die ist geprüfte Kindergärtnerin und versteht allerhand von Kindererziehung. Und zweitens hat der leibliche Huber-Vater viel weniger Geld verdient als ich. Er hat bloß ein Viertel von dem verdient, was ich verdiene. Und davon hat er noch die Hälfte versoffen. Ich habe also achtmal soviel Geld für die Kinder zur Verfügung wie der Huber-Vater.«

Aber es nützte nichts. Das Gericht blieb stur, und die Huber-Kinder blieben in den Kinderheimen und waren unglücklich. Albicoco hatte aus lauter Kummer und Zorn darüber schlaflose Nächte. In einer dieser schlaflosen Nächte fiel ihm sein geheimes Tal ein. Und da hatte er plötzlich eine ganz geheime Idee. In die weihte er nur seine Tante Emma und den Großvater ein.

Drei Huber-Kinder holte die Tante Emma aus den Heimen. Drei Huber-Kinder holte Albicoco selbst aus den Heimen. Wie die beiden das schafften, weiß ich nicht. Ich weiß nur, wie es der Großvater anstellte. Es war gar nicht so schwer! Der Großvater ging einfach zu den Kirchen, in die die Huber-Kinder jeden Freitagnachmittag zur Beichte geführt wurden. Dort trieb sich der Großvater bei den Beichtstühlen herum und pirschte sich an ein Heimkind heran und fragte es leise: »Welches von euch ist denn das Huber-Kind?«

Hatte ihm das Heimkind das Huber-Kind gezeigt,

wartete der Großvater, bis das Huber-Kind aus dem Beichtstuhl kam und sich zum Buße-Beten in eine Kirchenbank kniete. Dann kniete sich der Großvater neben das Huber-Kind und tat, als bete er auch. Aber er flüsterte dem Huber-Kind zu: »Der Oberlehrer Pschistranek schickt mich. Du sollst mitkommen.«

Da das Huber-Kind großes Vertrauen zu Albicoco hatte, fragte es nicht viel, ließ das Buße-Beten sein und schlich hinter dem Großvater aus der Kirche.

Nach drei Freitagen hatte der Großvater seinen Geheimauftrag erledigt und seine drei Huber-Kinder bei Albicoco abgeliefert, und der hatte sie mit seinem kleinen roten Propellerflugzeug ins geheime Tal geflogen. Der Großvater hatte damals noch kein Motorrad gehabt und hatte beim Transport nicht helfen können.

Dabei war schrecklich viel zu transportieren. Betten und Kleider, Schuhe und Teller, Löffel und Messer, zwei Katzen und ein Hund, vier Hühner und eine Ziege, Kissen und Decken, Zucker und Mehl. Und die Tante Emma auch. Ganz allein konnten die Kinder nicht im geheimen Tal bleiben. Drei Huber-Kinder waren noch so klein, daß sie so etwas Ähnliches wie eine Mutter brauchten. Den größeren Huber-Kindern mußte die Tante Emma auch erst zeigen, wie man in der Einsamkeit lebt. Wie man Feuer macht und eine Suppe kocht, wie man eine Ziege melkt und wo man die Hühnereier sucht, wie man Socken stopft und Hosen flickt und Mützen strickt, wo man Beeren findet und welche Schwammerln man essen kann.

Jeden zweiten Tag flog Albicoco ins geheime Tal. Am Nachmittag flog er, weil er da keine Schule hatte. Der Großvater flog oft mit ihm. Der Großvater hatte damals viel Zeit. Er war arbeitslos. Viele Leute waren arbeitslos. Sie bekamen, weil sie schon so lange arbeitslos waren, keine Arbeitslosenunterstützung mehr. »Ausgesteuert« nannte man das. Der Großvater und die Großmutter und mein Vater, der zu dieser Zeit ein junger Bursch war, lebten von dem, was die Großmutter verdiente. Eine richtige Arbeit hatte die Großmutter nicht. Sie ging zu anderen Leuten Dreck putzen und wusch für andere Leute die Wäsche. Wenig Geld bekam sie dafür. Lange mußte sie für das wenige Geld arbeiten. Darum konnte der Großvater mit Albicoco wegfliegen, ohne daß es die Großmutter merkte. Der Großvater half Albicoco im geheimen Tal ein großes Haus für die Huber-Kinder zu bauen. Einen Stall für die Ziege und die Hühner bauten sie auch. Sie mußten sich sehr beeilen damit, weil es

Herbst wurde und weil in den Bergen früh Schnee fällt. Das Haus und der Stall mußten fertig sein, bevor es Winter wurde.

An manchen Abenden, wenn der Großvater heimkam, war er so müde, daß er die Augen kaum offenhalten konnte. Die Großmutter schimpfte ihn dann aus.

»Tust den ganzen Tag nix«, keppelte sie, »und bist müder als ich! Wenigstens Staub hättest wischen können und einkaufen gehen!«

Der Großvater durfte der Großmutter nichts vom geheimen Tal erzählen, weil die Großmutter eine große Tratschen war. Sie hätte die Geschichte in der ganzen Gegend herumerzählt, und dann hätte die Polizei davon erfahren, und die Huber-Kinder wären zurückgeholt worden, und der Großvater und Albicoco und die Tante Emma wären eingesperrt worden. Manchmal steht eben leider auf »Gutes tun« Strafe!

Den Großvater störte das Geschimpfe der Großmutter aber ohnehin nicht. Die Großmutter schimpfte immer. Einmal zu Recht, einmal zu Unrecht. Der Großvater war an das Schimpfen der Großmutter so gewöhnt wie an das Gezwitscher seines Wellensittichs. Hauptsache, den Huber-Kindern geht es gut, dachte er. Den Huber-Kindern ging es wirklich gut. So gut wie vorher noch nie im Leben. Einsam waren sie auch

54

nicht. Bald hatten sie, außer der Tante Emma, den Katzen, dem Hund, den Hühnern und der Ziege, noch andere Gesellschaft.

Im ersten Winter flog Albicoco zwei kleine Mädchen ein, die Susi und die Hilde. Die Susi hatte keine Eltern. Sie kam auch aus einem Kinderheim. Die Hilde hatte Eltern, doch die Eltern waren immer fort. Am Tag waren sie in der Arbeit, am Abend waren sie im Kino oder im Wirtshaus oder sonstwo. Daheim waren sie jedenfalls nie. Im Sommer darauf brachte Albicoco einen Buben. Der schielte und stotterte. Den hatten die anderen Kinder ausgelacht. Im Frühjahr brachte Albicoco ein kleines Lamm. Der Großvater hatte es besorgt. Woher er es hatte, wollte er mir nicht erzählen.

»Von einem Bauern halt«, sagte er bloß und schaute dabei ein bißchen komisch drein. Ich glaube, er hatte es gestohlen. Stehlen soll man nicht. Einerseits! Aber andererseits: Der Bauer hätte das junge Lamm zu Ostern verkauft, es wäre gebraten worden, und ein paar Leute wären für ein paar Stunden davon satt geworden. Doch im geheimen Tal wurde aus dem jungen Lamm ein uraltes Schaf. Viele Jahre lebte es noch. Jedes Jahr wurde es zweimal geschoren, die Tante Emma machte aus den Schafslocken Schafwolle und strickte aus der Wolle viele, viele Paar Kindersocken. Die wärmten viele, viele Kinderfüße. Manchmal ist das, was man nicht tun soll, eben doch ziemlich vernünftig!

Wenn es nach der Tante Emma gegangen wäre, hätte der Großvater noch ein paar Schafe schicken können, denn von Jahr zu Jahr wurden es mehr Kinderfüße, für die sie Socken stricken mußte. Albicoco brachte einen Buben. Den Rudi. Die Eltern vom Rudi waren eingesperrt worden, weil sie gegen die Regierung gekämpft hatten. Albicoco brachte ein Mädchen. Die Evi. Die Eltern von der Evi waren ins Ausland geflüchtet. Sie hatten auch gegen die Regierung gekämpft. Und als dann die Nazis in unser Land einmarschierten, brachte er den Tommi, den Loisl und die Alice. Das waren drei Judenkinder. Die drei wären sonst in das Konzentrationslager gekommen. Zwei Zigeunerkinder flog Albicoco auch ein. Zwillinge. Den Sami und die Olga. Zigeunerkinder wurden von den Nazis auch in das Konzentrationslager geschickt. Alle Kinder, die nicht der »arischen Rasse« angehörten, wurden eingesperrt, und die meisten von ihnen wurden umgebracht. Und als dann die Bomben fielen, brachte Albicoco noch drei Kinder. Deren Mütter waren bei den Bombenangriffen umgekommen.

Furchtbar schwer war es nun, für alle diese Kinder

Essen und Kleider zu besorgen. Der Großvater arbeitete jetzt zwar wieder und verdiente auch eine Menge Geld, doch im Krieg konnte man für Geld nichts kaufen. Außer im Schleichhandel. Aber im Schleichhandel war alles sehr teuer, und Lebensmittelkarten, wie wir sie hatten, konnte Albicoco für die versteckten Kinder ja nicht beantragen! Die Kinder mußten von dem leben, was sie im geheimen Tal hatten, von den Eiern und der Ziegenmilch, dem Schafskäse und der Ziegenbutter. Und von dem, was im Garten wuchs, den sie hinter dem Haus angelegt hatten. Doch da wuchs nicht allzuviel. Das geheime Tal lag ja ziemlich hoch oben, und dort, wo immer Wolken am Himmel sind, gedeiht nicht viel. Albicoco und der Großvater sammelten für die versteckten Kinder bei allen Freunden. Obwohl die Freunde selbst nicht viel hatten, kam allerhand zusammen. Die Freunde fragten nie, wofür sie die Sachen hergaben. Sie vertrauten dem Großvater und Albicoco.

Jeden zweiten Tag konnte Albicoco nun nicht mehr ins geheime Tal fliegen. Es gab kein Benzin zu kaufen. Hätte Albicoco nicht einen Freund beim Militär gehabt, der ihm klammheimlich volle Benzinkanister schenkte, hätte er überhaupt nicht mehr fliegen können. Außerdem war das Fliegen jetzt auch sehr gefährlich. Vor dem Krieg hatte niemand besonders auf das kleine, rote Propellerflugzeug geachtet, wenn es am blauen Himmel, zwischen den weißen Wolken, dahingeflitzt war. Höchstens daß sich einer dachte: Schön muß es da oben sein! Oder: Fürchten tät ich mich da oben!

Vor dem Krieg hatte Albicoco nie Angst haben müssen, wenn er zu den versteckten Kindern ins geheime Tal geflogen war. Aber nun beobachteten die Flak-Soldaten Tag und Nacht den Himmel und hielten Ausschau nach »feindlichen Flugobjekten«. Leicht hätten sie Albicocos kleines, rotes Flugzeug entdecken können. Auch in der Nacht. Denn da suchten sie den Himmel mit Scheinwerfern ab.

Gott sei Dank hatte der Großvater unter den Erfindersachen im großen Schrank ein Geheimrezept für Chemi-Kumulus gefunden. Chemi-Kumulus war eine Mischung aus sieben weißen Pulvern. Wenn man die zusammenschüttete und ein bißchen Wasser – aber wirklich nur ein bißchen! – dazurührte, schäumte die Handvoll Pulver zu einer riesigen, weißen Wolke auf. Diese Wolke war so locker und luftig wie Waschpulverschaum, aber viel, viel widerstandsfähiger und zäher. Weder Regen noch Schnee, weder Sonne noch Wind brachten sie zum Schmelzen. Wie Zuckerwatte war sie. Nur nicht so klebrig.

Albicoco machte das so: Er stellte die Pulvermischung

unter sein kleines Flugzeug, schüttete das bißchen Wasser dazu, rührte schnell um und sprang blitzschnell in das Flugzeug und machte die Tür zu. Unter dem Flugzeug wuchs die weiße Wolke. Albicoco wartete, bis die weiße Wolke das ganze Flugzeug überzogen hatte, dann startete er und flog los. Und die Leute, die den Himmel beobachteten, sahen kein Propellerflugzeug, sondern eine weiße Wolke am Himmel dahinflitzen. Im Garten konnte Albicoco das kleine Flugzeug nun natürlich auch nicht mehr abstellen. Das Flugzeug stand im Wald, auf einer kleinen Lichtung, und war mit Tannenzweigen und Buchenästen zugedeckt. Die mußte Albicoco jedesmal, wenn er wegfliegen wollte, mühsam abräumen. Der Förster, der jede Woche den Wald inspizierte, sah das Flugzeug trotzdem. Einem aufmerksamen Förster kann so ein großer Reisigberg ja gar nicht entgehen! Doch der Förster hätte Albicoco nie verraten. Er war zwar kein alter Freund von Albicoco, aber er hielt, was Albicoco tat, für richtig.

Wenn Albicoco krank war oder wenn das Flugzeug kaputt war – das kam manchmal vor, schließlich war das Flugzeug schon recht alt –, mußte der Großvater den Transport zu den Zuckerhüten übernehmen. Dann mußte er dreimal in einer Nacht hin- und herflitzen. Auf dem Gepäckträger eines Motorrades ist ja nicht soviel unterzubringen wie in einem Flugzeug.

Sooft der Großvater den Transport zu den Zuckerhüten übernahm, war hinterher die Zuckerdose der Großmutter leer. Die Großmutter glaubte, ich hätte den Zucker gegessen. Zuckerln und Schokolade gab es im Krieg nicht. Wer Lust auf etwas Süßes hatte, mußte ein Stück Zucker in den Mund stecken. Aber der Zucker war auch sehr knapp. Darum sperrte die Großmutter die Zuckerdose immer in der Kredenz ein und steckte den Kredenzschlüssel in die Schürzentasche. Wenn trotzdem Zucker aus der Dose fehlte, behauptete sie: »Das Saumensch hat mir den Schlüssel aus der Schürzentaschen gestohlen, während ich den Mittagsschlaf gehalten habe.«

Meine Mutter tröstete mich. Sie sagte: »Nimm es ihr nicht übel, sie ist eben alt und verkalkt.«

Das sagte meine Mutter auch, als die Großmutter Krach schlug, weil sechs Leintücher und sechs Kissenbezüge aus ihrem Wäscheschrank fehlten. Sie glaubte, meine Mutter hätte das Bettzeug beim Herrn Cerny gegen Lebensmittel eingetauscht. Der Herr Cerny war bei uns in der Gegend der Schleichhändler. Man gab ihm ein Leintuch und bekam dafür ein Kilo Schmalz. Man gab ihm einen Deckenbezug und bekam dafür zehn Eier. Das Schmalz und die Eier holte

60

der Herr Cerny vom Land, von den Bauern. Die gaben ihm für ein Leintuch fünf Kilo Schmalz und für einen Deckenbezug dreißig Eier. So verdiente der Herr Cerny sehr gut. Dafür war sein Geschäft sehr gefährlich. Hätte ihn jemand bei der Polizei angezeigt, wäre er eingesperrt worden. Vielleicht wäre er sogar zum Tode verurteilt worden. So genau konnte das damals niemand wissen.

Der Großvater tauschte auch beim Herrn Cerny. Aber nicht die Leintücher und die Kissenbezüge der Großmutter. Die hatte er ins geheime Tal gebracht. Der Großvater tauschte beim Herrn Cerny seine Taschenuhr gegen Mehl, sein bestes Hemd gegen Salz, seinen Sonntagshut gegen Zucker, seine Aktentasche gegen Dauerwurst, seinen Siegelring gegen Erdäpfel. Und brachte alles ins geheime Tal. Der Großmutter erzählte er, daß er seine Aktentasche in der Straßenbahn vergessen habe, daß ihm ein Taschendieb die Uhr gestohlen habe, daß ihm der Wind den Hut vom Kopf geweht habe, daß ihm der Siegelring beim Waschen in die Waschschüssel gefallen und dann *leider leider* mit dem Waschwasser im Klo gelandet sei. Nur zum besten Hemd fiel ihm keine Erklärung ein. Darum glaubte die Großmutter fest daran, daß eine »Hauspartei« das beste Hemd aus der Waschküche gestohlen habe. Sie hatte die Frau Simon in Verdacht.

Sie sagte: »Die Simon ist um die Waschküchentür herumgeschlichen, wie ich Waschtag gehabt habe. Die hat mir das Hemd aus dem Bottich gestohlen!« Sie grüßte die Frau Simon nicht mehr.

Und nun hatte der Großvater auch noch den Otto-Hans in das geheime Tal gebracht!
»War denn überhaupt noch ein Bett frei?« fragte ich den Großvater.
»Leider nein«, sagte der Großvater. »Er schläft beim Sami im Bett.«
»Macht gar nichts«, sagte ich. »Wenn er in der Nacht den Sami neben sich spürt, wird er sich nicht mehr fürchten.«
»Der Franz und der Josef werden ihm ein Bett tischlern«, sagte der Großvater. »Bloß haben sie keine Nägel mehr. Ich muß irgendwo Nägel auftreiben. Wenn ich nur wüßte, wo!«
Der Franz und der Josef waren die ältesten Huber-Kinder. Kinder waren sie gar nicht mehr. Sie waren schon erwachsene junge Männer. Sie hätten längst das Zuckerhuttal verlassen können. »Aber sie sind ja nicht blöd«, erklärte mir der Großvater. »Wenn sie herunterkommen, werden sie doch gleich zum Militär geschickt. Wer geht schon freiwillig Leute totschießen? Wer läßt sich schon freiwillig totschießen?«

»Viele«, sagte ich und zählte die auf, die ich kannte: den Donner Rudi, den Fischer Pepi und den Karli Groß. Das waren drei Burschen aus den Nachbarhäusern. Die waren vor ein paar Monaten noch ins Gymnasium gegangen. Die hätten noch ein Jahr lang weiter in die Schule gehen können, aber sie hatten sich freiwillig zum Militär gemeldet. Meinen Vater zählte ich nicht auf. Der hatte Soldat werden müssen, der hatte sich nicht dagegen wehren können. Ich verstand, daß sich einer allein nicht dagegen wehren kann, daß man aus ihm einen Soldaten macht. Aber ich verstand nicht, warum sich nicht alle, die man gegen ihren Willen zu Soldaten gemacht hatte, gemeinsam gewehrt hatten. Immer wieder fragte ich den Großvater: »Wenn eine ganze Kaserne voll Soldaten gegen den Krieg ist, wenn die alle nicht losmarschieren, wenn die einfach sagen, daß sie keinen Krieg wollen, was wäre denn dann?«

»Dann kommen die Soldaten aus einer anderen Kaserne und schießen diese Soldaten tot«, sagte der Großvater.

»Und wenn die Soldaten aus der anderen Kaserne das nicht tun? Weil sie auch gegen den Krieg sind?« fragte ich den Großvater.

»Dann kommen die Soldaten aus einer dritten Kaserne«, sagte der Großvater.

»Und wenn die Soldaten aus der dritten Kaserne auch gegen den Krieg sind?« fragte ich. Dann unterbrach mich der Großvater und sagte ziemlich ungeduldig: »Wenn, wenn, wenn! Wenn es so wäre, wäre es schön. Aber so ist es leider nicht!«

»Und warum ist es nicht so?« fragte ich. Darauf gab mir der Großvater nie eine Antwort. Doch die Großmutter – wenn sie gerade zuhörte – sagte: »Das ist so, weil die Menschen schlecht und bös sind!« Und dann flüsterte mir der Großvater zu: »Glaub ihr nicht, sie hat nicht recht.« Weil die Großmutter sonst auch nie recht hatte, glaubte ich ihr nicht.

Alle Leute in der Gegend mochten meinen Großvater gern. Sogar die mochten ihn, die er nicht leiden konnte. Alle Leute waren sich einig, daß der Großvater mit der Großmutter schlimm dran war. Oft hörte ich jemanden sagen: »Der arme Mann hätte sich – weiß Gott – eine bessere Frau verdient.«

Richtig leid tat der Großvater den Leuten. Sie wußten ja nicht, daß der Großvater noch eine Frau hatte. Eine ganz geheime. Julischka hieß sie. Der Großvater hatte sie kennengelernt, als ich noch gar nicht auf der Welt war. Ein Jahr vor meiner Geburt hatte er sie zum ersten Mal gesehen. Die Schuld daran hatte die Großmutter, denn die hieß mit Vornamen Julia und ging gern auf den Friedhof. Ohne Friedhof und ohne Ähnlichkeit der Vornamen wäre der Großvater nie zu seiner geheimen Frau gekommen! Daß der Großvater die Julischka kennenlernte, kam so:

Die Großmutter ging jeden Sonntag auf den Friedhof, und der Großvater mußte sie begleiten, obwohl er Friedhöfe nicht ausstehen konnte. Einmal nun, als der Großvater auf dem Friedhof war, pflanzte er frische Vergißmeinnicht auf das Grab. Er hockte vor dem Grabhügel und setzte die kleinen Pflänzchen in die Erde. Er schwitzte, weil es sehr warm war an diesem Frühlingstag und weil er den Wintermantel anhatte. Schweißtropfen standen dem Großvater auf der Stirn. Er wollte sie abwischen, doch sein Taschentuch steckte in der Manteltasche, und seine Finger waren voll Erde. Die Großmutter hätte ihn sicher ausgeschimpft, wenn er mit den erdigen Fingern in die Manteltasche gegriffen und dabei den Mantel schmutzig gemacht hätte. So sagte er: »Geh, Julia, hol mir's Schneuzquadrat aus der Taschen!« (Wenn der Großvater mit der Großmutter redete, sagte er »Julia« zu ihr. Nur wenn er über sie redete und sie nicht dabei war, nannte er sie »meine Alte«.)

Der Großvater wiederholte seine Bitte, doch er bekam weder ein Taschentuch noch eine Antwort, er schaute sich um, sah die Großmutter nicht und rief: »Julia, wo bist denn?«

Da trat hinter den Fliederbüschen, gegenüber vom Grab, eine Frau hervor.

»Hier bin ich«, sagte sie.

Die Frau war so wunderschön und hatte so eine sanfte Stimme und lächelte so lieb, daß der Großvater ganz verwirrt war und bloß stammelte: »... das Taschentuch ...« Doch die Frau verstand sofort, was er meinte. Sie holte ein kleines, weißes Spitzentaschentuch aus ihrer Handtasche und trocknete damit dem Großvater die Stirn ab. So sanft hatte dem Großvater noch nie jemand über die Stirn gestrichen, so gut nach Maiglöckchen hatte noch niemand gerochen, der dicht beim Großvater gestanden war. Das Herz vom Großvater begann laut zu klopfen, heiß wurde ihm im Kopf, er merkte, daß er sich in die Frau auf den ersten Blick verliebt hatte! Ganz erschüttert war er darüber! Er setzte sich auf die steinerne Grabeinfassung. Die Frau setzte sich neben ihn. Sie legte ihren Kopf an seine Schulter. Der Großvater nahm die Hand der Frau und hielt sie fest. Die Frau fragte den Großvater, woher er ihren Namen kenne. Der Großvater sagte der Frau, daß er gar nicht nach ihr, sondern nach der Großmutter gerufen habe, daß er aber sehr glücklich darüber sei, daß statt der Großmutter eine andere Julia gekommen sei. »Ich habe ja nicht gewußt«, sagte er leise, »daß es auch so eine Julia gibt.«

Und die Frau sagte genauso leise: »Meine Freunde nennen mich Julischka.«

So saßen der Großvater und die Julischka eine Zeitlang nebeneinander. Der Großvater war sehr glücklich. Doch dann kam die Großmutter mit der vollen Gießkanne den Weg herauf. Sie war beim Hydranten um Wasser gewesen. Der Großvater ließ die Hand der Julischka los. Die Julischka stand auf, murmelte »Leb wohl« und verschwand wieder hinter den Fliederbüschen.

Der Großvater wollte der Julischka nachlaufen, aber die Großmutter war schon beim Grab. »Wer ist denn das gewesen?« fragte sie und hielt den Großvater am Ärmel fest.

»Das war eine Frau, die hat Zündhölzeln fürs Grablicht wollen«, log der Großvater. »Und ich hab keine gefunden. Aber jetzt hab ich welche gefunden!« Er griff in die Manteltasche.

»Net«, rief die Großmutter. »Machst dir doch den Mantel dreckig!« Sie klopfte mit der Hand am Mantel vom Großvater herum, putzte Erde weg und keppelte: »Einen Schmarrn tragst der die Zündhölzeln hinterher! Soweit kommt's noch. Immer müssen sich die

Leut was ausborgen, nie haben sie ihren Kram beieinander!«

Der Großvater wollte trotzdem zu den Fliederbüschen hin. Die Großmutter hielt ihn wieder am Ärmel fest.

»Ich bring ihr ja eh nicht die Zündhölzeln«, log der Großvater. »Ich muß aufs Klo!«

»Wieso aufs Klo?« fragte die Großmutter und ließ den Ärmel vom Großvater nicht los. »Gehst doch sonst immer hinter den Grabstein!« Die Großmutter runzelte die Stirn. »Oder mußt groß? Hast Bauchweh?«

»Ja! Bauchweh hab ich!« rief der Großvater und rannte zu den Fliederbüschen. Die Großmutter hielt ihn nicht mehr zurück, weil sie dachte, er habe es schrecklich eilig mit dem Klogehen und könnte sich sonst in die Hose machen.

Die Julischka war nicht mehr hinter den Fliederbüschen. Auf dem Weg, der von den Fliederbüschen zum Friedhofstor hinunterführte, war sie auch nicht. Wie vom Erdboden verschwunden war die Julischka! Traurig ging der Großvater zur Großmutter zurück. Ganz trostlos war ihm zumute. Am liebsten hätte er geweint.

Die Großmutter schimpfte mit dem Großvater. Das Bauchweh, hielt sie ihm vor, komme sicher davon, daß der Großvater warmen Germteig gegessen habe! Sie habe ihm ja gleich gesagt, daß man davon Bauchgrimmen bekommt! Aber er sei ja immer klüger und müsse seinen Dickschädel durchsetzen!

Dann bückte sich die Großmutter und hob eine Karte auf, die neben dem Grabstein lag. Sie schaute die Karte an und murmelte: »Na so was! Wie kommt denn die hierher?«

Der Großvater nahm der Großmutter die Karte aus der Hand und seufzte erleichtert auf. Die Karte mußte der Julischka aus der Handtasche gefallen sein, als sie das Spitzentaschentuch für den Großvater herausgeholt hatte. Die Karte war eine Osterglückwunschkarte. Ein Osterhase war auf ihr, der trug einen Buckelkorb mit roten Eiern. Der Osterhase interessierte den Großvater überhaupt nicht. Ihn interessierte die Rückseite der Karte. Auf der stand:

An Julischka Jahoda
Jandagasse 10

Frohe Ostern wünscht Tante Erika, stand auch noch auf der Rückseite der Karte. Doch die Tante Erika war dem Großvater genauso Wurscht wie der Osterhase.

Der Großvater lächelte, steckte die Karte in die Manteltasche und sagte der Großmutter, daß sein Bauchweh bereits aufgehört habe.

Am nächsten Tag, in aller Herrgottsfrühe, stand der Großvater auf. Er wusch sich die Haare, er stutzte sich den Schnurrbart, er schnitt sich die Fingernägel, er bohrte sich mit Watte das Ohrenschmalz aus den Ohren. Er zog sein bestes Hemd an und den guten Anzug.

»Sag einmal, was putzt du dich denn gar so raus?« fragte die Großmutter.

Der Großvater schwindelte der Großmutter vor, er habe von einer freien Stelle als Buchhalter gehört, die könne er vielleicht bekommen. Er wolle sich vorstellen gehen, und da müsse er ordentlich aussehen. Der Großvater war ja damals arbeitslos. Seit zwei Jahren schon. Er hatte es längst aufgegeben, nach einer Arbeit zu suchen, denn immer, wenn er gehört hatte, daß irgendwo Arbeit zu bekommen sei und er dort hingegangen war, war die Arbeit schon vergeben gewesen. Der Großvater glaubte nicht mehr daran, Arbeit zu finden. Doch das wußte die Großmutter nicht. Sie freute sich. Sie bürstete ihm die Schuhe blitzblank und band ihm eine Krawatte um den Hals. Eine dunkelblaue Krawatte mit hellgrauen Streifen. Zum Abschied spuckte sie ihm dreimal über die linke Schulter, weil das angeblich Glück bringt.

Zuerst ging der Großvater zu Albicoco. Mit der Straßenbahn wäre er natürlich schneller bei Albicoco gewesen, doch der Großvater sparte das Geld für den Fahrschein ein. Für einen, der seit zwei Jahren arbeitslos ist, ist sogar ein Fahrschein zu teuer.

Albicoco sperrte gerade die Haustür zu, als der Großvater kam. Es war halb acht Uhr, er mußte in die Schule. Auch Oberlehrer dürfen nicht zu spät kommen!

Der Großvater fragte Albicoco: »Darf ich mir in deinem Garten ein paar Blumen pflücken?«

Albicoco nickte. »Nimm alle, die du magst«, sagte er. »Nur die weißen Tulpen nicht, die bring ich der Tante Emma mit. Sie sehnt sich nach weißen Tulpen. Im Zuckerhuttal wollen sie nicht wachsen. Das Klima ist zu rauh.«

Albicoco lief zur Gartentür. »Dann baba bis heute nachmittag«, rief er. »Und zieh dir was Warmes an. Es könnte leicht sein, daß ein Wettersturz kommt.«

»Ich weiß nicht«, sagte der Großvater zögernd.

»Klar weißt du das nicht«, sagte Albicoco. »Aber beim Wetter verlaß dich auf mich, da kenn ich mich besser aus als ein Wetterfrosch.«

»Ich weiß nicht, ob ich mitkomme«, sagte der Großvater.

Albicoco blieb stehen. »Hast du etwas anderes vor?« Er schaute erstaunt. Der Großvater hatte sonst nie etwas anderes vor und wollte immer mit Albicoco ins geheime Tal zu den versteckten Kindern fliegen.

»Ich habe mich verliebt«, sagte der Großvater und wurde ein bißchen rot im Gesicht.

»Ehrlich?« fragte Albicoco.

»Ehrlicher geht es gar nimmer«, sagte der Großvater.

»Dann herzliches Beileid, mein Alter«, rief Albicoco und rannte aus dem Garten, den Weg hinunter, seiner Schule zu. Dem Großvater kam es so vor, als schüttle Albicoco beim Laufen unentwegt den Kopf.

Der Großvater pflückte einen riesigen Blumenstrauß aus roten und gelben Tulpen, aus blauer Iris, aus weißen Narzissen und aus grünem Zittergras. Dann stieg er durch das offene Küchenfenster ins Haus ein. Auf Albicocos Waschtisch stand eine Flasche Kölnischwasser. Der Großvater schraubte die Flasche auf und tröpfelte sich Kölnischwasser auf den Mittelscheitel. Er wollte einen guten Geruch haben, wenn er zu seiner Julischka kam. Aus Albicocos Kleiderschrank nahm der Großvater eine rote Krawatte mit weißen Punkten und tauschte sie gegen die graue Krawatte, die ihm die Großmutter umgebunden hatte, aus. Er wollte ein fröhlicher Anblick sein, wenn er zu seiner Julischka kam. Dann kletterte der Großvater wieder aus dem Küchenfenster, nahm den Blumenstrauß und ging in die Jandagasse.

Was der Großvater bei seinem ersten Besuch zur Julischka sagte und was die Julischka zum Großvater sagte und wie lange der Großvater bei der Julischka blieb und was sie taten, erzählte mir der Großvater nie. Er behauptete, er könne sich daran nicht mehr erinnern, weil er damals so aufgeregt gewesen sei und weil das alles auch schon über neun Jahre her sei. Er log! Er konnte das nicht vergessen haben. Einer, der sich sogar daran erinnert, daß er sich mit Kölnischwasser auf dem Mittelscheitel und einer rotweiß getupften Krawatte auf den Weg gemacht hat, der wird doch noch wissen, was er sagte, als er bei der Julischka ankam und ihm die Julischka die Tür aufmachte. Man merkt sich doch nicht das Nebensächliche und vergißt das Wichtige! Doch wenn ich das dem Großvater vorhielt, rief er: »So gib schon Ruh, du lästige Wanzen, sonst erzähl ich dir überhaupt nichts mehr von der Julischka!«

Jedenfalls hat die Julischka den Großvater nicht weggeschickt. Und das war ja die Hauptsache!

Von diesem Tag an besuchte der Großvater die Julischka dreimal die Woche. Öfter konnte er nicht, denn dreimal die Woche flog er mit Albicoco zu den versteckten Kindern. So einer, der wegen einer neuen

Liebe auf seine Pflichten vergißt, war der Großvater nicht! (Am Sonntag konnte der Großvater weder zur Julischka gehen noch zu den Kindern fliegen, da mußte er bei der Großmutter bleiben, denn da ging die Großmutter nicht Wäsche waschen und nicht Dreck putzen, da war sie daheim und wollte mit dem Großvater Karten spielen und auf den Friedhof gehen und den Schwager Gottfried besuchen und Domino spielen. Und die Zeitung wollte sie auch vorgelesen haben.)

Die Julischka hielt dem Großvater die Treue. Sie schämte sich auch nicht, als der Großvater Zeitungsverkäufer wurde. Die Großmutter schämte sich sehr. Sie genierte sich fürchterlich.

»So eine Schand, so eine Schand«, jammerte sie. »Daß es so weit hat kommen müssen, überwind ich nicht!«

Die Großmutter war immer sehr stolz darauf gewesen, daß sie keinen Arbeiter, sondern »was Besseres« geheiratet hatte. Doch gegen einen Zeitungsverkäufer war sogar ein Arbeiter »was Besseres«.

Der Großvater verstand das nicht. Er lachte die Großmutter aus. »Bist auf der Nudelsuppen dahergeschwommen, Julia?« fragte er sie. »Du gehst doch selber in die Bedienung und waschst die Dreckwäsch für andere Leut. Das ist ja wohl auch nichts Besseres. Oder?«

»Aber mich sieht niemand dabei«, sagte die Groß-
mutter und schneuzte sich tränenrotz aus der Nase.
»Ich erzähl das keiner Menschenseel. Daß ich Dreck
putz, wissen nur die, denen ich den Dreck putz.
Aber du stehst mit den Zeitungen mitten auf dem
Platzl! Jeder sieht dich! Jeder weiß es! Das ist die
Schand!«

Den Großvater störte am Zeitungverkaufen auch allerhand. Er konnte mit Albicoco nicht mehr so oft
zum Zuckerhutberg fliegen, weil er ja vom frühen
Morgen bis zum späten Abend mit den Zeitungen auf
dem »Platzl« stand und nur hin und wieder einen
freien Tag hatte. Die Julischka konnte er auch nicht
mehr oft besuchen. Jeden Abend nahm er sich vor:
Jetzt schlaf ich zwei, drei Stunden, dann steh ich auf
und steig aus dem Fenster und geh zur Julischka!
Doch der Großvater war vom Zeitungverkaufen so
müde, daß er nie nach zwei, drei Stunden aufwachte,
sondern erst am hellen Morgen, wenn ihn die Großmutter wachrüttelte. Und im Winter, wenn es kalt
war, fror der Großvater ganz erbärmlich. Er fror sich
die Nase blau und die Ohren rot. Am allerärgsten
aber fror er an den Fingern, denn er konnte keine
Fäustlinge anziehen, weil man mit Fäustlingen über
den Fingern schlecht Geldstücke nehmen und Geldstücke herausgeben kann.

Die Julischka strickte dem Großvater Pulswärmer. Ohne die wären dem Großvater sicher die Finger richtig abgefroren. Und dreimal am Tag kam die Julischka aufs »Platzl« und brachte dem Großvater heißen Tee mit Rum in einer Thermosflasche. Dann blieb sie immer eine halbe Stunde bei ihm. Ob dem Großvater vom Rum-Tee oder von der Nähe der Julischka warm wurde, wußte er nicht.

Die Großmutter merkte von all dem gar nichts. Sie machte immer einen großen Bogen um das »Platzl«. Sie wollte die »Schand« nicht sehen. Aber das Geld, das der Großvater heimbrachte, nahm sie schon. Der Großvater brachte gar nicht wenig Geld heim. Er verdiente gut. Weil die Leute den Großvater gern hatten, kaufte jeder, der eine Zeitung wollte, seine Zeitung beim Großvater.

Der Großvater verdiente sogar so viel Geld, daß er Albicoco noch eine Menge für die versteckten Kinder geben konnte.

Zwei Jahre lang verkaufte der Großvater am »Platzl« Zeitungen. Dann bekam er wieder eine Stelle als Oberbuchhalter. Ein Mann, der beim Großvater jeden Abend zwei Zeitungen kaufte, verschaffte ihm diese Stelle. Der Bruder von diesem Mann hatte eine Fabrik.

Von dem Geld, das der Großvater als Oberbuchhalter verdiente, konnte er Albicoco nichts mehr geben, weil die Großmutter immer den Lohnzettel vom Großvater anschaute und ihm bloß ein bißchen Taschengeld für Bier und Zigarren erlaubte. Doch Geld bekam Albicoco trotzdem vom Großvater. Der Großvater ging jeden Abend ins Kaffeehaus und spielte dort Karten. Das Bummerl um einen Schilling! (Ein Schilling war damals viel mehr wert als heute, und der Großvater spielte viele, viele Bummerln an einem Abend.) Beim Kartenspielen gewann der Großvater immer. Wenn er kein Kartenglück hatte, dann schwindelte er ein bißchen. Er schämte sich nicht dafür. »Es war ja nicht für mich«, erklärte er mir. »Es war ja für die versteckten Kinder!«

Als der Krieg kam, war es sowieso gleich, ob der Großvater hundert Mark mehr oder weniger verdiente, weil es nicht mehr viel zu kaufen gab.
Je länger der Krieg dauerte, um so weniger gab es zu kaufen.
Als ich drei Jahre alt war, hatte ich mir beim Greißler eine Rippe Schokolade kaufen können. Als ich vier Jahre alt war, hatte ich mir beim Zuckerbäcker ein Stück Schusterbubentorte kaufen können. Das war eine Waffel mit Gelatineschaum darauf und einer

hauchdünnen Schokoladeschicht darüber. Als ich fünf Jahre alt war, hatte ich mir in der Apotheke weiße und rosa Eibischwürfel kaufen können. Die gehörten eigentlich gegen Husten, aber sie schmeckten recht gut. Als ich sechs Jahre alt war, gab es noch Brausepulver. Das hätte man in ein Krügel Wasser schütten sollen, um so etwas Ähnliches wie Limonade zu bekommen. Ich schüttete es aber auf die Hand und schleckte es auf und bekam davon eine rauhe, rote, brennende Zunge. Nun war ich acht Jahre alt, und es gab überhaupt nichts zu kaufen ohne Marken und Bezugscheine. Nicht einmal einen Buntstift. Nicht einmal einen Zeichenblock. Nicht einmal eine Glasmurmel. Nicht einmal ein Bilderbuch. Nicht einmal einen Zinnsoldaten.

Arm dran mit Spielsachen war ich trotzdem nicht. Ich bekam sogar jede Woche etwas Neues zum Spielen. Der Großvater brachte es mir. Geschenke von der Julischka. Einmal schenkte sie mir eine kleine Holzpuppe mit Flachshaaren, einmal ein Kaffeeservice mit fingerhutgroßen Tassen, einmal eine nußgroße Dose mit grießkorngroßen Perlen darin, einmal ein Bett für die Holzpuppe mit den Flachshaaren, einmal einen waschlappengroßen Teppich, einmal einen winzigkleinen Tisch, auf dem das Kaffeeservice Platz hatte. Ich tat alle Sachen in eine Schachtel. Schön langsam wurde aus der Schachtel ein richtiges Puppenhaus. Ich schrieb VILLA JULISCHKA auf den Schachteldeckel.

Hin und wieder brachte mir der Großvater auch ein Zuckerl von der Julischka. Ein gelbes, saures Zuckerl, das aussah wie eine Zitronenspalte. Vom Quaksstrudel der Julischka brachte er aber nie ein Stück; obwohl er es mir immer versprach. Die Julischka machte einen wunderbaren Strudel aus ein bißchen schwarzem Mehl, ein bißchen Germ und ein paar Stücken Sacharin. Dieser Quaksstrudel schmeckte besser als alles, was der Großvater im Frieden gegessen hatte. Die Julischka war eine Meisterköchin! Wenn dem Großvater das Nachtmahl nicht schmeckte, ließ er es stehen. Er schob den Teller weg und flüsterte mir zu: »Ich geh heut um Mitternacht sowieso auf einen Quaksstrudel!«

Da die Julischka die geheime Frau vom Großvater war, war sie meine geheime Großmutter. Ich hätte sie gern kennengelernt, doch das war unmöglich, weil die Julischka am Nachmittag immer schlief. Sie wollte putzmunter sein, wenn der Großvater um Mitternacht zu Besuch kam.

Einmal hatte ich einen scheußlichen Tag. Da ging mir alles schief. In der Schule mußte ich eine ganze Stunde lang in der Ecke stehen, mit dem Gesicht zur Wand.

Nur weil ich ein Zopfende meiner Sitznachbarin ein bißchen ins Tintenfaß getaucht hatte. (Wir schrieben damals nicht mit Füllfedern. Wir hatten Federstiele, in denen Kugelspitzfedern steckten, die wir in Tintengläser tauchten.) Als ich zu Mittag heimkam, war ich grantig. Zum Mittagessen gab es Rübengemüse. Rübengemüse, aus weißen Rüben, konnte ich nicht essen. Es schmeckte widerlich. Es würgte mich im Hals, wenn ich einen Bissen Rübengemüse schlucken sollte. Tränen traten mir in die Augen. Ich mußte den Bissen ausspucken, sonst hätte ich gekotzt. Meine Mutter verstand nicht, daß man eine Speise einfach nicht essen kann!

»Jetzt sei nicht hysterisch und iß«, sagte sie und hielt mir einen Löffel mit dem scheußlichen Zeug vor den Mund. Ich wollte ihr sagen, daß ich die Rüben wirklich nicht essen könne, aber als ich den Mund zum Reden aufmachte, schob sie mir den Löffel in den Mund. Ich spuckte die Rüben auf den Tisch. Meine Mutter schimpfte los, packte mich mit einer Hand an der Schulter, füllte den Löffel wieder, kommandierte »Mund auf« und fummelte mir mit dem vollen Löffel vor den zusammengepreßten Lippen herum. Ich machte den Mund nicht auf. Meine Mutter nahm die Hand von meiner Schulter – ich dachte, sie wolle aufgeben –, aber sie griff nach meiner Nase und hielt mir die Nasenlöcher zu. Sie glaubte, nun müsse ich den Mund aufmachen. Ich preßte die Lippen weiter zusammen und schlug wild um mich. Ich wehrte mich nur! Daß dabei der Teller zu Boden fiel und meine Mutter einen Tritt gegen die Schienbeine und einen Boxer in den Bauch abbekam, war nicht meine Absicht. Meine Mutter wurde so böse, wie ich sie noch nie gesehen hatte. Sie ließ den Löffel fallen und gab mir eine Ohrfeige und brüllte: »Was? So weit kommt's noch, daß der Fratz die eigene Mutter haut!«

Sie riß mich vom Sessel, zerrte mich durchs Zimmer und warf mich auf mein Bett. »Von da rührst dich heut nimmer weg!« schrie sie. »Wehe dir, wennst aufstehst!« Dann ging sie in die Küche um einen Lappen. Sie kam zurück und putzte die Rübensauerei weg. Dabei schnaufte sie so laut, als ob das eine sehr anstrengende Arbeit wäre.

Ich lag auf meinem Bett und heulte. Ich hörte die Wohnungstür aufgehen. Der Großvater kam herein. Ich erkannte ihn an seinen Schritten.

»Was ist denn das für ein Geschrei hier?« fragte er, als er durch die Küche ging.

»Was ist denn das für ein Rübengatsch hier?« fragte er, als er im Zimmer war.

Meine Mutter schnaufte bloß: »Das Saumensch kann's heut wieder einmal.« Meine Schwester erzählte dem Großvater, was passiert war. Sie tat, als sei ich der Teufel in Menschengestalt, als hätte ich das Fürchterlichste getan, was ein Kind überhaupt tun kann. Der Großvater setzte sich auf meine Bettkante und streichelte mich.

»Was zwingst sie denn?« fragte er meine Mutter. »Wenn's die Scheißrüben nicht runterbringt, kann's doch nichts dafür.«

»Ich hab nichts anderes«, sagte meine Mutter. »Sie muß doch was essen.«

»Sie wird schon nicht verhungern, wenn's einmal nichts ißt«, sagte der Großvater.

Der Großvater deutete auf den Rübengatsch, der noch am Tisch und auf dem Boden klebte. »Jetzt hat sie ja auch nicht gegessen«, sagte er. »Wozu also das ganze Theater?« Er kitzelte mich am Hals.

»Komm«, sagte er. »Ich glaub, von unserem Erdäpfelgulasch ist noch was überblieben, das magst doch, oder?«

»Sie darf nicht aufstehen«, rief meine Schwester. »Die Mutti hat's gesagt. Sie muß den ganzen Tag auf dem Bett bleiben.« Ihre Stimme klang sehr zufrieden.

»Aber Papperlapapp«, sagte der Großvater. »Klar kann's aufstehen. Sie hat sich ja keinen Haxen brochen.«

Der Großvater zog mich hoch. Wir gingen aus dem

Zimmer. Ich gab ihm die Hand. So fühlte ich mich sicherer. Wir gingen aus der Küche. Meine Mutter hielt uns nicht zurück.

Erdäpfelgulasch gab es keines mehr. Die Minna-Tante hatte es aufgegessen. Aber ein Schmalzbrot gab mir die Großmutter. Ein Schmalzbrot war eine Kostbarkeit. Ein Schmalzbrot durfte man nicht ungegessen verkommen lassen. Bloß hatte ich überhaupt keinen Hunger mehr. Vom Streit mit meiner Mutter war mir ein bißchen übel im Bauch.

Ich ging mit dem Schmalzbrot in das Zimmer. Ich stellte mich zum Fenster und überlegte, wie ich das Schmalzbrot loswerden könnte. Da sah ich den Schurli am Fenster vorbeigehen. Der Schurli hatte immer Hunger. Ich wollte dem Schurli das Schmalzbrot schenken. Ich machte das Fenster auf. Ich konnte nur den einen Fensterflügel öffnen, weil vor dem anderen Fensterflügel, auf dem Fensterbrett, drei Blumentöpfe standen. Ich beugte mich aus dem Fenster und rief: »Schurli!« Der Schurli drehte sich um. Ich winkte mit dem Schmalzbrot. Der Schurli kam zurück. Ich beugte mich noch ein bißchen weiter aus dem Fenster, da ging der andere Fensterflügel auf, es schepperte ein bißchen, und alle drei Blumentöpfe lagen drinnen im Zimmer auf dem Boden. Die Blumentöpfe waren zerbrochen. Was einmal drei schöne, von allen Leuten bewunderte Fuchsienstöcke gewesen waren, war nun ein Haufen aus Erde, Tonscherben, geknickten Zweigen und abgefallenen roten Blüten. Vor Schreck ließ ich das Schmalzbrot fallen. Es landete auf dem Gehsteig, mit der Schmalzseite auf dem Pflaster. Der Schurli hob es trotzdem auf.

Das Geschrei, das die Großmutter machte, war enorm. Ihre drei Blumenstöcke hatte sie sehr geliebt. Die Minna-Tante behauptete, ich hätte das Schmalzbrot absichtlich aus dem Fenster geworfen und damit eine Todsünde begangen.

»Hast halt heut einen Unglückstag«, sagte der Großvater lachend. Er wollte mit mir ins Kabinett gehen, den *Geheimsender Geblergasse* abhören, aber ich hatte keine Lust dazu. Meine Lehrerin hatte mich gemein behandelt! Meine Mutter hatte mich gehauen! Meine Schwester hatte sich darüber gefreut! Meine Großmutter hatte mich zum Teufel gewünscht! Meine Tante hatte mich falsch verdächtigt! Ärmer als ich konnte kein Kind sein! Und der Großvater nahm mein Unglück nicht richtig ernst!

Ich ging in den Hof hinaus. Im Hof waren die Hermi und der Franzi aus dem zweiten Stock. Sie spielten Vater-Mutter-Kind. Meinen Puppenwagen, den ich bei der Klopfstange abgestellt hatte, hatten sie sich zum Vater-Mutter-Kind-Spielen ausgeborgt. Die Puppe der Hermi lag in meinem Puppenwagen. Meine Puppe hatten sie auf den Hackstock gelegt.

»Wennst bei uns mitspielen willst«, sagte die Hermi, »kannst aber nur mehr der Hund sein.«

Beim Vater-Mutter-Kind-Spielen der Hund zu sein war wirklich das Allerletzte! Ich warf die Puppe aus meinem Puppenwagen, legte meine Puppe in den Wagen, streckte der Hermi und dem Franzi die Zunge heraus, rief: »Ihr Deppen, ihr«, und schob meinen Puppenwagen aus dem Hof, durch den Gang, beim Haustor hinaus. Ich fuhr die Gasse hinunter, zum Park. Im Park, sagte ich mir, sind sicher Kinder, mit denen ich spielen kann.

Aber es war wie verhext! Im Park waren nur drei Buben, die Krieg spielten. Krieg wollte ich nicht spielen. Heimgehen wollte ich auch nicht. Allein im Park herumsitzen wollte ich schon gar nicht. Da fiel mir ein, wohin ich gehen könnte! Meine geheime Großmutter könnte ich besuchen! Es war ja fast noch Mittag. Da schlief sie vielleicht noch nicht.

Fünf Frauen fragte ich vergeblich nach der Jandagasse. Dann meinte eine alte Frau, die Jandagasse sei irgendwo am Stadtrand. »Fahr fünf Stationen mit der Straßenbahn«, riet sie mir. »Und dort frag halt wieder!«

Mit dem Puppenwagen konnte ich nicht gut Straßenbahn fahren. Fahrschein hatte ich auch keinen. Und Geld für eine Fahrkarte auch nicht. Also ging ich stadtauswärts, den Schienen nach, und zählte die Haltestellentafeln. Nachdem ich an fünf Haltestellentafeln vorbeigekommen war, fragte ich wieder nach der Jandagasse. Eine Frau sagte: »Die muß da oben wo sein, da herunten ist sie sicher nicht.« Sie deutete zu einer Gasse, die steil bergauf führte. Ich schob meinen Puppenwagen die Gasse hinauf, bis ich beim letzten Haus angekommen war. Dort stand ein alter Mann, den fragte ich nach der Jandagasse. Der alte Mann deutete die Gasse hinunter und sagte: »Die muß da unten wo sein, hier heroben ist sie sicher nicht!«

Kreuz und quer schickten mich die Leute in der Gegend herum! Zur Jandagasse kam ich nicht. Dafür kam ich in eine Gegend, die mir bekannt vorkam. Da war ich schon mit dem Großvater gewesen. Wenn wir Albicoco besucht hatten, waren wir hier gegangen. Ich bog noch dreimal um eine Ecke und war vor Albicocos Garten. Albicoco stand hinter dem Zaun, bei seinem Kirschenbaum, und pflückte Kirschen. Er war sehr erstaunt, als er mich sah. Er konnte gar nicht glauben, daß ich allein gekommen war. Die Jandagasse kannte er auch nicht.

»Was willst denn dort überhaupt?« fragte er mich.

»Zur Julischka will ich«, sagte ich.

»Ist das eine Freundin von dir?« fragte er.

»Ich will zur Julischka vom Großvater.«

Albicoco tat erstaunt. Die einzige Julischka, die er kenne, behauptete er, sei meine Großmutter. Der Großvater habe sie so genannt, als sie noch jung und schön und freundlich und lustig gewesen sei. Der alte Gauner tat sogar, als habe er kein Flugzeug, als habe er nie ein Flugzeug gehabt. Die Flugzeuge, in denen er geflogen sei, erzählte er mir, die hätten einem Sportclub gehört. Vor zwanzig Jahren, erzählte er mir, habe er das Fliegen überhaupt aufgegeben.

»Weißt, Mäderl«, sagte er. »Wenn man nimmer ganz jung ist, muß man die Fliegerei bleiben lassen. Fliegen ist nur was für junge Spund!«

Das ärgerte mich. Ich verstand ja, daß Albicoco verschwiegen sein mußte. Aber bei mir hätte er wohl eine Ausnahme machen können.

»Ich weiß alles, wirklich alles!« sagte ich.

Albicoco schaute mich an und lächelte. »Das ist aber schön, wenn du alles weißt«, sagte er. »Da hast du ja sicher lauter Einser im Zeugnis, und deine Mama hat viel Freude mit dir!«

Mit dem Kerl war einfach nicht vernünftig zu reden!

Ich sagte: »Auf Wiederschaun«, und wollte wegge-
hen.

»Kriegst noch Kirschen, Mäderl«, sagte Albicoco. Er
füllte meinen Puppenwagen randvoll mit Kirschen.
Meine Puppe war unter einem Kirschenberg begra-
ben. Als ich endlich aus dem Garten ging, rief mir
Albicoco nach: »Und sag deinem Opa, er soll sich
wieder einmal anschauen lassen bei mir, ich hab ihn ja
schon ewig nicht gesehen.«

Schwindler, der! Erst vor einer Woche war der Großvater mit ihm ins geheime Tal der versteckten Kinder
geflogen! Und vor zwei Wochen hatten der Großvater
und die Julischka mit Albicoco im Garten ein Früh-
lings-Mitternachts-Fest gefeiert. Der Großvater hatte
mir von diesem Fest einen Lampion mitgebracht!

Sehr müde kam ich daheim an. Mit einer großen Was-
serblase auf jeder Ferse. Meine Schuhe waren mir um
eine Nummer zu klein. Ich hatte auch ein Paar Schuhe, das mir tadellos paßte. Das waren alte Schuhe von
meiner Schwester. Aber die mochte ich nicht. Die
waren schwarz und reichten bis über die Knöchel und
quietschten bei jedem Schritt. Da lief ich mir lieber in
meinen alten Schuhen Wasserblasen!

Der Großvater war nicht zu Hause. Er war auf der
Suche nach mir. Meine Mutter, die Großmutter, die

Minna-Tante und meine Schwester waren schrecklich aufgeregt. Freundlich waren sie trotzdem nicht zu mir. Wo ich mich denn stundenlang herumgetrieben habe, fragten sie. Ob ich denn nicht wisse, daß ein kleines Mädchen nicht so lange wegbleiben dürfe? Nichts als Kummer und Sorgen hätte man mit mir! Über meine Kirschen machten sie sich trotzdem her. Ohne mich zu fragen, teilten sie den Kirschenberg einfach auf. Eine Hälfte bekam die Großmutter. Aus der anderen Hälfte wollte meine Mutter Kirschenmarmelade machen. Sie setzte sich zum Küchentisch und fing an, die Kirschen zu entkernen.

Ich protestierte. »Das sind meine Kirschen!« rief ich empört.

»Jetzt sei nicht auch noch frech«, sagte meine Schwester.

»Was heißt da: auch noch?« rief ich.

»Weilst sowieso davong'rennt bist«, sagte meine Schwester. »Aus lauter Angst um dich hat die Mutti Kopfweh bekommen.«

Es war schrecklich mit meiner Schwester! Immer war sie brav-braver-am bravsten! Sie kapierte einfach nicht, daß mir großes Unrecht geschehen war. Sie kapierte ja nicht einmal, wenn ihr selbst Unrecht geschah! Immer glaubte sie, daß die Erwachsenen im Recht sind! Sonst regte mich das sehr auf, aber jetzt war ich viel zu müde, um richtig wütend zu werden.

Ich legte mich ins Bett, zog mir die Decke über den Kopf und dachte: Morgen finde ich die Julischka! Morgen gehe ich zu meiner geheimen Großmutter! Der Großvater hat einen Stadtplan im Schreibtisch. Den nehme ich mir. Auf dem werde ich die Jandagasse finden. Und wenn ich erst einmal bei der Julischka bin, dann werde ich mir noch sehr gut überlegen, ob ich überhaupt wieder heimkomme!

Am nächsten Morgen, als ich den Großvater aufweckte, fragte er zwischen zwei Gähnern: »Warum bist denn allein zu Albicoco gegangen? Hättest mir doch g'sagt, daß du ihn besuchen willst, hätt ich dich begleitet, hätten wir uns viel Geschrei und Aufregung erspart.«

»Ich wollte ja gar nicht zu Albicoco«, sagte ich. »Zu dem Blödian bin ich rein zufällig gekommen. Ich hab nur die Jandagasse nicht gefunden. Ich wollte zur Julischka.«

Der Großvater setzte sich mit einem Ruck im Bett auf. Er gähnte nicht mehr, er blinzelte auch nicht mehr. Kugelrund schaute er mich an. »Zur Julischka?« fragte er. Es klang fast entsetzt. Ich konnte den Großvater aber nicht mehr fragen, warum er so komisch dreinschaute und seine Stimme so merkwürdig klang, denn die Großmutter war schon im Zimmer und betete ihre tägliche Morgenlitanei herunter.

Nach der Schule, als ich wieder beim Großvater war und der Großvater meinen Puppenwagen reparierte, weil dem die lange Fahrt nicht gutgetan hatte und alle vier Räder locker waren, sagte der Großvater zu mir: »Übrigens hab ich vergessen dir zu erzählen, daß die Julischka jetzt drei große Hunde hat. Drei riesige Hunde. Größer als Kälber. Mit roten Augen. Und solchen Zähnen!« Der Großvater zeigte zwischen Daumen und Zeigefinger eine Spanne von mindestens zehn Zentimetern.

»Die hat sie für vier Wochen in Pflege«, sagte der Großvater. »Sie gehören einem Schleichhändler. Der ist im Moment im Spital.«

Klar, daß drei solche Riesenhunde einem Schleichhändler gehören mußten! Niemand außer einem Schleichhändler hätte Futter für drei solche Hunde gehabt!

»Sind die Hunde bissig?« fragte ich den Großvater und bekam eine Gänsehaut auf dem Rücken.

»Normalerweise schon«, sagte der Großvater. »Kinder können sie überhaupt nicht ausstehen. Aber bei dir hätten sie sicher eine Ausnahme gemacht. Du bist ja kein gewöhnliches Kind.«

Da ich nicht nur vor großen, bissigen, sondern auch

vor kleinen, zahnlosen Hunden Angst hatte, beschloß ich, in den nächsten vier Wochen nicht zur Julischka zu gehen. Wenn man eine geheime Großmutter acht Jahre lang nicht kennengelernt hat, kann man schließlich auch noch vier Wochen länger zuwarten!

Meine Hundeangst war ziemlich groß, aber sie machte mir nicht sehr zu schaffen, weil es kaum Hunde bei uns gab. Wenn die Menschen nicht genug zu essen haben, können sie sich keine Hunde halten. Hunde hatten bei uns in der Gegend nur der Wirt und die Fleischhauerin und die Frau Schneider und der Herr Franz. In der Fleischhauerei fiel immer ein bißchen für den Hund ab, der Herr Franz hatte Verwandte auf dem Land, die schickten ihm Lebensmittel, der Wirt betrog die Leute, die bei ihm im Wirtshaus aßen. Er verlangte von ihnen für jedes »Saftfleisch« eine 100-Gramm-Fleischmarke. Aber in jeder Portion Saftfleisch waren nur 50 Gramm Fleisch drinnen. Wenn sich die Leute beschwerten, log er: »Beim Kochen geht's Fleisch eben ein!« Und die Witwe Schneider fütterte ihren Hund mit dem Fleisch, das ihr zustand.
Außerdem wußte ich, daß meine Hundeangst eines Tages spurlos weg sein werde. Genauso wie beim Großvater würde es bei mir sein! Der hatte als Kind

noch viel größere Hundeangst als ich! Der hatte schon zu zittern angefangen, wenn ein Hund gebellt hatte. Und dort, wo der Großvater als Kind gelebt hatte, hatten sehr viele Hunde gebellt. Große und kleine, dicke und dünne, struppige und seidenweiche, kurzbeinige und langbeinige. In dem Dorf, in dem der Großvater gewohnt hatte, hatte zu jedem Haus mindestens ein Hund gehört. Nur die Eltern vom Großvater hatten keinen Hund gehabt. Den größten Hund hatte die Nachbarin vom Großvater gehabt. An einer zehn Meter langen Kette hing der Hund. Also gab der kleine Großvater immer acht, zur Hundehütte einen Abstand von elf Metern einzuhalten. Doch leider war die Haustür der Nachbarin nur fünf Meter von der Hundehütte entfernt, und meine Urgroßmutter schickte den kleinen Großvater jeden Tag einmal zur Nachbarin. Einmal mußte er von der Nachbarin etwas holen, einmal mußte er der Nachbarin etwas bringen, einmal mußte er die Nachbarin etwas fragen, einmal mußte er der Nachbarin etwas ausrichten.

Um in das Haus der Nachbarin zu kommen, brauchte der kleine Großvater ein Stück Speck. Den sparte er sich vom Nachtmahl ab. Beim kleinen Großvater gab es jeden Abend Speck und Brot zu essen. Der kleine Großvater hielt den Speck für den Hund immer in der Hosentasche parat, weil er ja nie genau wußte, wann ihn seine Mutter wieder zur Nachbarin schicken würde. Der kleine Großvater machte das mit dem Hund und dem Speck so: Er ging auf das Nachbarhaus zu, bis er elf Meter vor der Hundehütte war. Der Kettenhund kam aus der Hundehütte und lief bellend auf den kleinen Großvater zu. Einen Meter vor dem Großvater blieb er stehen – weil seine Kette ja nicht weiter reichte – und bellte und zerrte an der Kette. Der Großvater holte das Speckstück aus der Hosentasche.

Die Haustür war links vom Großvater. Der kleine Großvater warf das Speckstück nach rechts. Der Kettenhund rannte hinter dem Speckstück her, nach rechts. Der kleine Großvater rannte der Haustür zu, nach links, und war im Haus drinnen, bevor der Kettenhund den Speck gefressen und kehrtgemacht hatte.

Aus dem Haus wieder rauszukommen war nicht weiter schwierig. Die Nachbarin begleitete den kleinen Großvater immer bis an die Haustür. Wenn die Nachbarin bei der Haustür stand, bellte der Kettenhund nicht und rannte nicht zum Großvater, sondern blieb vor seiner Hütte liegen.

In einem Winter aber wurde beim kleinen Großvater daheim der Speck knapp. Das Schwein, das meine Urgroßmutter im Herbst zu Speck gemacht hatte, war klein und mager gewesen. So gab es nur jeden zweiten Abend Speck, und auch da nur ein sehr kleines Stück. Der kleine Großvater mußte seine ganze Speckration für den Nachbarhund aufheben. Die eine Hälfte für den nächsten Tag, die andere Hälfte für den übernächsten Tag.

Eines Tages nun, als die Urgroßmutter den kleinen Großvater mit einer Flasche Baldriantropfen zur Nachbarin schickte und der kleine Großvater elf Meter vor der Hundehütte stand und das Speckstück aus seiner Hosentasche holen wollte, war die Hosentasche leer. Dabei hätten zwei Speckstücke drin sein müssen, weil gestern Specktag gewesen war!

Vielleicht hatte eine Maus den Speck in der Nacht aus der Hosentasche geholt. Mäuse riechen Speck, und im Haus vom Großvater gab es viele Mäuse. Vielleicht hatte der kleine Großvater den Speck auf dem Weg zur Nachbarin verloren. In seiner Hosentasche war nämlich ein Loch. Vielleicht hatte ihm einer seiner großen Brüder den Speck aus der Hosentasche genommen. Einfach aus Spaß. Große Brüder sind ja oft recht gemein. Jedenfalls stand der kleine Großvater nun ratlos da und wußte nicht, wie er in das Nachbarhaus kommen sollte, und einen Meter vor ihm sprang der Kettenhund wie verrückt herum und bellte und zerrte so stark an der Kette, daß der kleine

Großvater Angst hatte, der Kettenhund könnte die Kette von der Hundehütte reißen. Der kleine Großvater dachte: Ich muß etwas anderes werfen! Er riß einen Knopf von seiner Joppe. Den, der ohnehin nur mehr an einem Faden baumelte. Er warf den Knopf – genauso wie sonst den Speck – nach rechts und rannte nach links, der Haustür zu. Knapp vor der Haustür rutschte der kleine Großvater aus und fiel hin. Der Länge nach lag er da, die Baldrianflasche rollte davon und ging in Scherben, und bevor sich der kleine Großvater aufgerappelt hatte, war der Kettenhund bei ihm, stellte die Vorderpfoten auf die Schultern vom kleinen Großvater und sagte: »Glaubst du wirklich, daß ein Hund einen Knopf fressen kann, oder willst du mich bloß ärgern?«

»Nur weil ich keinen Speck hatte«, sagte der kleine Großvater. Seine Angst war weg. Kein bißchen Angst hatte er mehr. Wenn man mit jemandem vernünftig reden kann, muß man keine Angst mehr haben.

Der Riesenhund nahm die Vorderpfoten vom Großvater. Der Großvater stand auf.

»Hast du morgen wieder Speck?« fragte der Riesenhund.

»Erst übermorgen«, sagte der kleine Großvater und rieb sich die Knie. Die taten ihm weh.

»Warum erst übermorgen?« fragte der Riesenhund.

Der kleine Großvater erzählte dem Riesenhund vom mageren Schwein und vom Speck, der nicht mehr in der Hosentasche gewesen war.

»Du brauchst mir nicht deinen ganzen Speck zu bringen«, sagte der Riesenhund. »Ab jetzt machen wir halbe-halbe. Sonst bleibst du so mickrig, wie du bist, kleiner Zwerg.« Der Riesenhund schaute den kleinen Großvater aufmerksam an, dann fuhr er fort: »Ich hab mir's überlegt. Wir machen auch nicht halbe-halbe. Iß deinen Speck selbst. Du brauchst ihn dringender als ich.«

»Ich würd aber gern halbe-halbe mit dir machen«, sagte der Großvater.

»Dann mach ich auch halbe-halbe mit dir, und du kriegst meinen halben Fleischknochen«, sagte der Hund.

Der kleine Großvater wollte den Riesenhund nicht kränken. Er ging auf das Angebot ein. Jeden Tag bekam er vom Riesenhund einen halbabgenagten Knochen. Den nahm er mit nach Hause. »Ich hebe ihn mir fürs Nachtmahl auf«, erklärte er dem Riesenhund.

Der kleine Großvater trug den Knochen immer in den Gemüsegarten hinter dem Haus. Zur Hollerstaude legte er ihn. Wenn er am nächsten Tag mit dem nächsten Knochen kam, war der alte Knochen weg. Wer ihn genommen hatte, wußte der kleine Großvater nicht. Vielleicht war es ein Hund. Vielleicht war es ein Fuchs. Vielleicht war es eine große Katze. Der Großvater hatte den Hund vom Mesner in Verdacht. Nicht nur, daß der von Tag zu Tag dicker wurde! Er sagte jetzt auch immer, wenn er am kleinen Großvater vorbeilief, guten Tag. Und welchen Grund, außer Dankbarkeit für den Knochen, hätte der Mesner-Hund plötzlich zum Grüßen gehabt?

Der Kettenhund der Nachbarin wurde der beste Freund vom kleinen Großvater. Manchmal saß der kleine Großvater sogar bei ihm in der Hundehütte. Da mußten sich die beiden eng aneinanderkuscheln, um in dem kleinen Verschlag Platz zu haben. Natürlich bekam der kleine Großvater dabei ein paar Flöhe ab, aber das störte ihn nicht besonders. Daheim hatten sie auch viele Flöhe. Und angeblich sind die richtigen Menschenflöhe viel lästiger als die Hundeflöhe.

Der Kettenhund erzählte dem Großvater viel. Vom Kettenhund erfuhr der Großvater, daß alle Hunde reden können. Bloß lehnen es die meisten ab, mit den Menschen zu sprechen. Die einen, weil sie zu faul sind. Die anderen, weil sie zu schüchtern sind. Die meisten, weil sie von den Menschen nicht viel halten.

»Ich hätte von dir ja auch nicht viel gehalten«, sagte der Kettenhund zum kleinen Großvater, »wenn du mir nicht immer den Speck geschenkt hättest. Aber wegen dieser Freundlichkeit allein hätte ich noch lange nicht mit dir geredet. Doch wie du mir dann den Knopf hingeworfen hast, habe ich mir gedacht, der mickrige Zwerg ist auch nicht besser als die anderen Kinder. Diese Enttäuschung habe ich einfach nicht bei mir behalten können, die habe ich laut hinaus-schreien müssen!«

Ich wartete auch auf einen Hund, der bereit war, mit mir zu reden. Ich wußte genau: Hatte ich den erst einmal gefunden, würde alle Hundeangst weg sein. Ich trug auch immer ein Stück Würfelzucker in der Schürzentasche bei mir. Dem Wirtenhund, dem Fleischhauerhund, dem Hund der Frau Schneider und dem Hund vom Herrn Franz hatte ich schon oft ein Stück Würfelzucker hingeworfen. Aus gehöriger Ent-fernung natürlich. Doch die blöden Viecher hatten meinen Zucker gefressen und kein Sterbenswort ge-sagt. Schüchtern waren sie sicher nicht. Wahrschein-lich waren sie zu faul!
Ich muß eben warten, bis der Krieg vorüber ist, sagte ich mir. Wenn wieder Frieden sein wird, werden die Leute genug zu essen haben. Dann werden sie sich

wieder Hunde halten. In jedem Haus werden zwei, drei oder sogar vier Hunde sein. Unter so vielen Hunden, sagte ich mir, wird sicher einer sein, der mit mir reden wird. Ganz im geheimen hoffte ich sogar darauf, daß ich nach dem Krieg selbst einen Hund haben würde. Meine Mutter mochte Hunde zwar überhaupt nicht. Aber wenn endlich der Krieg zu Ende sein würde, würde ja mein Vater heimkommen, und der hatte Hunde gern. Der würde mir sicher einen Hund schenken. Und daß mein eigener Hund mit mir reden würde, war ja klar!

Alle paar Wochen einmal lag der Großvater einen Tag im Bett. Da machte er eine »Rollkur« für seinen Magen. Rollkur hieß das Im-Bett-Liegen deshalb, weil der Großvater zuerst eine Viertelstunde auf dem Rücken lag, dann eine Viertelstunde auf der linken Seite, dann eine Viertelstunde auf dem Bauch, dann eine Viertelstunde auf der rechten Seite, dann wieder eine Viertelstunde auf dem Rücken und auf der linken Seite und auf dem Bauch und auf der rechten Seite … So wälzte sich der Großvater den ganzen Tag im Bett herum. Vorher hatte er ein Krügel Medizin leer getrunken. Medizin gegen Magengeschwüre. Die merkwürdige Wälzerei im Bett sollte die Medizin gut im Magen verteilen.

Der Großvater machte die Rollkur immer am Sonntag, und ich lag dann neben ihm im Bett und wälzte mich mit ihm. Lag er auf dem Rücken, lag ich auch auf dem Rücken, lag er auf dem Bauch, lag ich auch auf dem Bauch. Damit uns der Tag nicht zu langweilig wurde, schaute der Großvater in die Zukunft oder in die Vergangenheit; je nachdem, was mir gerade lieber war.

Zauberer und Wahrsager brauchen zum Hellsehen eine geschliffene Kristallkugel. In die starren sie hinein. In der sehen sie die irrsten Sachen. Der Großvater hatte so eine Kristallkugel nicht, ihm genügte der gläserne Briefbeschwerer zum Hellsehen. Der gläserne Briefbeschwerer war eine apfelgroße Glaskugel, in die grüne und rote und blaue Primeln eingegossen waren. Wenn der Großvater in den Briefbeschwerer starrte, sah er die allergeheimsten Sachen. Aber Hellsehen ist ziemlich anstrengend. Länger als zwei, drei Minuten konnte der Großvater nie in den Briefbeschwerer starren, sonst taten ihm die Augen schrecklich weh. Hinterher mußte er sich von der Anstrengung erholen. Bei jeder Vierteldrehung, die wir im Bett machten, schaute der Großvater noch einmal in den Briefbeschwerer. Vorher mußte ich ihm schwören, niemandem ein Sterbenswort von dem zu erzählen, was er im Briefbeschwerer sah.

So geheime Sachen weiterzuerzählen bringt nämlich bloß Ärger.

Diesen Ärger hatte ich schon einmal kennengelernt! Da hatte der Großvater im Briefbeschwerer die Tochter der Frau Simon gesehen, und die hatte auf jedem Arm ein grünäugig schielendes Baby mit orangeroten Borstenhaaren und Henkelohren getragen. Dem Großvater und mir war also klar, daß die Simon-Tochter rothaarige, schielende, henkelohrige Zwillingsbabys bekommen werde. Und zwar demnächst schon! Denn die Simon-Tochter hatte ein Gipsbein. Und die Simon-Tochter im Briefbeschwerer hatte auch ein Gipsbein gehabt. Woraus zu schließen war: Die Simon-Tochter bekommt in den nächsten sechs Wochen diese Zwillinge, denn der Beingips – das hatte uns die Frau Simon erzählt – mußte nur mehr sechs Wochen auf ihrem Bein bleiben.

Da man sich auf Babys vorbereiten muß, denn Babys brauchen Betten und Strampelhosen und Schnuller und Flaschen und Windeln, dachte ich, ich müsse der Frau Simon von den Babys erzählen. Ich erzählte der Frau Simon von den Babys und bekam eine Ohrfeige von der Frau Simon. Nicht deswegen, weil ihre Enkel so häßlich sein würden, sondern weil ihre Tochter nicht verheiratet war. Damals galt es als große Schande, unverheiratet Kinder zu bekommen. (Übrigens:

Die Simon-Tochter bekam keine grünäugig schielenden Zwillinge mit orangeroten Haaren und Henkelohren. Weder in der Sechswochenfrist noch später. Das kam davon, weil ich das Geheimnis ausgeplaudert hatte. Das macht nämlich den Unterschied zwischen einer Kristallkugel und einem Briefbeschwerer aus. Was man in einer Kristallkugel sieht, darf man ruhig weitererzählen. Was man in einem Briefbeschwerer sieht, muß man geheimhalten, sonst geht es nicht in Erfüllung. Noch einen Unterschied zwischen einer Kristallkugel und einem Briefbeschwerer gibt es: Mit einer Kristallkugel kann man jahrhunderteweit sehen, sowohl nach vorne als auch nach hinten. Ein Briefbeschwerer schafft bloß ein paar Monate, sowohl nach vorne als auch nach hinten.)

Am liebsten hatte ich es, wenn der Großvater im Briefbeschwerer nach mir Ausschau hielt, doch das tat er nicht gern. Er sagte, dann sei mein Leben nicht mehr spannend. Er sagte, es sei langweilig, ein Leben zu führen, über das man schon vorher Bescheid wisse.

Der Großvater sah im Briefbeschwerer, daß die Großmutter morgen zu Mittag Zwiebelsoße mit Nokkerln kochen werde. Er sah, daß meine Schwester auf die Englisch-Schularbeit einen Einser bekommen werde. Er sah, daß es nächsten Montag regnen werde und daß der Friseur der Minna-Tante die Haare beim Dauerwellenmachen verbrennen werde. Den Streit der Großmutter mit der Standlerin am Markt sah er auch voraus. Und die Hermi sah er rotgetupft im Briefbeschwerer. Doch so genau, daß er sagen konnte, ob die Tupfen Masern oder Feuchtblattern sind, sah er das nicht. Weihnachtsgeschenke und Geburtstagsgeschenke konnte er natürlich auch sehen, doch die verriet er mir nicht. »Schön, wunderschön«, rief er bloß. »Der Christbaum glitzert und leuchtet und strahlt! Und du machst kugelrunde Augen und freust dich! So schöne Sachen hast du nämlich gar nicht verdient!«

Besonders gut war der Briefbeschwerer zum Sachen-Suchen. Wenn ich meinen Bleistiftspitzer nicht finden konnte, mein Taschenmesser verlegt hatte und nicht wußte, wohin meine roten Zopfmaschen gekommen waren, brauchte ich nur auf den Rollkur-Tag vom Großvater zu warten.

»Wann hast du den Bleistiftspitzer zum letzten Mal gehabt?« fragte dann der Großvater und starrte in den Briefbeschwerer.

»Vorgestern in der Schule, in der Zehnerpause«, sagte ich.

»Jawohl«, murmelte der Großvater. »Das sehe ich

bereits. Da ist deine Klasse, und du stehst beim Papierkorb und spitzt deinen Bleistift. Neben dir steht ein dickes Mädchen mit schwarzen Locken. Und jetzt schaut ihr euch an, und jetzt sagt das dicke Mädchen etwas zu dir, anscheinend hat die Glocke gerade die Pause ausgeläutet, und du gehst zu deinem Pult zurück. Den Bleistiftspitzer steckst du in die Schürzentasche!«

»Aber in der Schürzentasche ist er nicht mehr«, sagte ich. »Ich habe nachgeschaut, ehrlich!«

»Geduld, Geduld«, murmelte der Großvater mir zu, und dem Briefbeschwerer murmelte er zu: »Schürze, Schürze, erscheine.« Wenn der Großvater mit dem Briefbeschwerer redete, war seine Stimme immer viel tiefer und viel brummiger als sonst.

»Da ist sie ja schon«, fuhr der Großvater fort. »Die Schürze geht von der Schule nach Hause, ich sehe sie um die Ecke biegen, ja, ja, ich sehe sie in unserem Haustor verschwinden, jetzt kommt sie zu eurer Wohnungstür, ja, ja, die Tür geht auf, die Schürze steht mitten in der Küche. Und jetzt fliegt die Schürze durch die Luft! Auf dem Küchenstockerl landet sie.«

»Und was ist mit meinem Bleistiftspitzer?« fragte ich ungeduldig. Daß ich Schürzen nicht ausstehen konnte und meine Schürze gleich nach der Schule auszog, brauchte mir der Großvater nicht wahrzusagen. Das wußte ich selbst! Und daß ich die Schürze nie ordentlich an die Garderobe hing, hielt mir meine Mutter schon oft genug vor, das mußte ich nicht auch noch vom Großvater hören!

Der Großvater legte den Briefbeschwerer weg. »Nie laßt mich ausreden«, sagte er. »Der Bleistiftspitzer ist aus der Schürzentasche gefallen, als du die Schürze aufs Stockerl geworfen hast. Weilst mich gestört hast, hab ich nicht mehr gesehen, wohin er gerollt ist. Entweder liegt er unter dem Gasherd oder unter der Kredenz, oder er ist ins Zimmer hineingerollt.«

Und so war es dann auch!

Manchmal deckte der Briefbeschwerer auch die Lügen vom Franzi auf. Der Franzi war mein Freund und wohnte im Nachbarhaus und war ein Angeber. Dauernd erzählte er mir von seinen tollen Erlebnissen. Die hatte er immer, wenn ich gerade nicht dabei war. Im Park hatte er gegen sieben große Buben gerauft und alle sieben besiegt. Auf dem Brückengeländer war er über den Donaukanal gegangen und hatte nicht einmal die Arme zum Balancehalten benutzt, einfach schnurstracks war er von einer Seite der Brücke zur anderen gelaufen. Und wenn er seinen Freund Karli besuchte, ging er nie über die Treppen in den vierten Stock hinauf. Das Haus vom Karli hatte Balkons. Der

Franzi kletterte – hurtig wie ein Affe – von Balkon zu Balkon.

»Das ist ja kein Kunststück«, sagte er zu mir, »bloß ein bißchen schwindelfrei muß man sein!«

Im Briefbeschwerer sah der Großvater, was der Franzi wirklich tat, wenn ich nicht dabei war. Er hockte daheim und bohrte in der Nase! Sooft ich den Großvater im Briefbeschwerer den Franzi suchen ließ, saß der Franzi daheim und bohrte in der Nase!

Der Großvater verstand nicht, warum er bei jeder Rollkur den Franzi im Briefbeschwerer suchen mußte.

»Wozu soll ich mir den langweiligen Nasenbohrer schon wieder anschauen?« raunzte der Großvater.

»Um vorgestern vormittag geht es«, drängte ich den Großvater. »Da hat er angeblich seiner Lehrerin ein Bein gestellt, und die Lehrerin ist der Länge nach hingefallen und hat sich beide Knie verstaucht!«

Der Großvater seufzte, drehte sich von der rechten Seite auf den Bauch, hob den Briefbeschwerer vor die Augen und rief: »Na, was sag ich! Dein Franzi sitzt hinter seinem Pult und bohrt in der Nase. Und die Lehrerin steht bei der Tafel und schreibt das Siebener-Einmaleins auf. Und auf der Wanduhr ist es schon zwölf Minuten vor zwölf. Da ist kein Beinstellen mehr drin.«

Der Großvater hielt mich für kleinlich. Er sagte: »Was nimmst ihm denn das bißchen Aufschneiden so übel? Der Franzi würde halt gern übers Brückengeländer laufen und sieben Buben besiegen und von Balkon zu Balkon klettern. Und der Lehrerin ein Bein stellen. Er erzählt dir bloß, was er gern tun würde, wenn er so mutig wäre, wie er sein möchte. Das ist doch harmlos.«

»Aber mich lacht er aus, weil ich gesagt habe, daß ich über den Hackstock springen kann und dann doch nicht drübergekommen bin«, sagte ich.

Da gab mir der Großvater recht. Selber dauernd schwindeln und andere nicht schwindeln lassen, das ist gemein!

Manchmal allerdings funktionierte der Briefbeschwerer nicht richtig. Da sagte ich: »Großvater, schau nach, ob morgen Bombenalarm sein wird.« Oder: »Großvater, schau nach, ob der Schurli gestern eine Watschen gekriegt hat.« Oder: »Großvater, schau nach, wie es gerade dem Vati geht!«

Obwohl der Großvater dann aufmerksam in den Briefbeschwerer starrte und vor Anstrengung zu schwitzen anfing, klappte es nicht! Er sah weder den Schurli noch die Bombenflieger noch meinen Vater. Er sah den Fritzi Zapletal! Der Großvater probierte alle Tricks. Er zwinkerte mit den Augen, er rieb sich die Augen, er schüttelte den Briefbeschwerer, er steckte ihn unter die Decke, er hauchte aufs Glas und rieb den Briefbeschwerer mit einem Polsterzipfl blitzblank. Es nützte alles nichts. Der Fritzi Zapletal ließ sich nicht aus dem Briefbeschwerer vertreiben. Dabei kannten wir den Kerl gar nicht. Zum ersten Mal war er vor den Ferien, am Schulschlußtag, im Briefbeschwerer aufgetaucht. Der Großvater wollte nachschauen, ob meine Mutter mit einem Badeanzug für mich nach Hause kommen würde. Meine Mutter war seit drei Stunden mit der Kleiderkarte unterwegs, lief von Geschäft zu Geschäft, um irgendwo einen Badeanzug zu finden. Viel Hoffnung, daß sie einen bekommen werde, war ja nicht, aber hin und wieder, meinte der Großvater, seien Wunder möglich. Dem Wunder wollte er zusehen!

»Ja, ja«, sagte der Großvater, drehte sich vom Bauch auf die linke Seite und schaute in den Briefbeschwerer. »Ja, ja, ich sehe einen Kleiderladen, deine Mutter geht in den Laden hinein … da steht eine Verkäuferin … deine Mutter sagt irgendwas zu ihr … und jetzt … verflixt und zugenäht und umgekrempelt … was ist denn das?« Der Großvater bekam dicke Falten auf der Stirn.

»Was ist denn los, Großvater?« fragte ich.

»Ich weiß auch nicht«, sagte der Großvater. »Nebel

legt sich über den Kleiderladen, dicker Nebel, alles ist weiß, rauchig weiß, ich kann gar nichts mehr sehen. Aber jetzt … jetzt legt sich der Nebel langsam … und jetzt ist der Kleiderladen nimmer da … ein Bub ist da, ein hübscher Bub, ein sehr hübscher Bub. Einer mit blonden Haaren und blitzblauen Augen und Sommersprossen auf den Wangen. Ein weißes Hemd hat er an und eine blaue Hose.«

Der Großvater hielt den Briefbeschwerer ganz nahe an die Augen. Er rief: »Fritzi Zapletal heißt der Bub!«

»Redet er, Großvater?« fragte ich aufgeregt. Das wäre neu gewesen. Bisher hatte der Großvater nie eine Stimme aus dem Briefbeschwerer gehört.

»Nein, nein«, sagte der Großvater und schüttelte den Kopf. »Absoluter Stummfilm da drinnen. Aber der Bub hat ein Zeugnis in der Hand. Drauf steht: Fritzi Zapletal, Schüler der 1A. Und darunter sind lauter Fünfer. In Lesen, in Rechnen, in Turnen, in Zeichnen, in Schreiben. Sogar in Betragen hat der Kerl einen Fünfer.« Der Großvater schüttelte wieder den Kopf.

»Weint er?« fragte ich den Großvater.

»Keine Rede«, sagte der Großvater. »Der Kerl lacht. Grinst von einem Ohrwaschel bis zum anderen. Ganz unverschämt grinst er.«

Von da an tauchte der Fritzi Zapletal immer wieder – und ganz ungebeten – im Briefbeschwerer auf. Nie war er traurig. Immer grinste er von einem Ohr bis zum anderen. Ich gewöhnte mich an ihn, wurde neugierig auf ihn und ärgerte mich nicht mehr, wenn er im Briefbeschwerer auftauchte. Der Fritzi Zapletal war ja auch ein toller Bursche!

Einmal war er im Tiergarten. Es war gerade um die Mittagszeit herum. Ein Tierwärter ging von Käfig zu Käfig und teilte Futter aus. Der Tierwärter kam zu einem Affenkäfig. Er sperrte die Käfigtür auf und ging mit einer Schüssel voll Äpfel und Zwieback in den Affenkäfig hinein. Die Käfigtür lehnte er bloß zu. Das bemerkte der Affe, der in den Käfig gesperrt war. Bevor der Tierwärter etwas dagegen tun konnte, war der Affe aus dem Käfig, hatte die Tür zugeschlagen, den Schlüssel im Schloß gedreht, rannte zu einem Kastanienbaum, kletterte den Stamm hinauf und war in der Baumkrone verschwunden. Und der Wärter hatte nicht einmal gesehen, auf welchen Kastanienbaum der Affe geklettert war! Vor dem Affenkäfig standen gut ein Dutzend Kastanienbäume. Verzweifelt rüttelte der Wärter an den Gitterstäben und brüllte um Hilfe. Zuerst hörte ihn nur der Fritzi Zapletal. Der war weit und breit der einzige Besucher im Tiergarten. Aber der Fritzi Zapletal kam dem Wärter nicht zu

Hilfe. Der Fritzi Zapletal tat, als höre er die Hilferufe gar nicht. (Die Hilferufe konnte der Großvater natürlich auch nicht hören. Im Briefbeschwerer gab es ja nur Stummfilm zu sehen. Doch der Großvater sah, daß der Wärter den Mund weit aufriß und wieder zuklappte und wieder aufriß. »Ich fühle mich hier pudelwohl« wird er höchstwahrscheinlich nicht gerufen haben.)

Vor lauter Brüllen schwollen dem Wärter die Adern auf der Stirn und am Hals dick und blau an. Dann kamen zwei andere Wärter gelaufen und brüllten auch. Die brüllten sicher: »Bonzo, Bonzo!«, denn sie schauten zu den Kronen der Kastanienbäume hinauf. Also riefen sie nach dem Affen. Daß sie »Bonzo« riefen, war dem Großvater klar, weil auf dem Schild, das an der Tür vom Affenkäfig hing, SCHIMPANSE BONZO geschrieben stand.

Die Wärter rannten von Baumstamm zu Baumstamm, schließlich blieben sie bei einem Baumstamm stehen und tuschelten miteinander. Dann lief der eine Wärter weg. Der andere Wärter ging zum Affenkäfig und sperrte die Tür auf und befreite den eingesperrten Kollegen. Den Fritzi Zapletal beachtete keiner der Wärter. Unbemerkt schlich der Fritzi Zapletal zur großen Buche an der Tiergartenmauer. Fast hätte das sogar der Großvater übersehen.

112

»Hoppla«, murmelte der Großvater. »Mir scheint, der Knabe hat was vor. Er klettert in die Buche.«

»Was tut er in der Buche?« fragte ich.

»Keine Ahnung«, murmelte der Großvater. »Ich sehe ihn nicht mehr. Das Laub ist zu dicht. Aber der Wärter kommt zurück. Eine riesige Leiter hat er. Die legt er an den Kastanienbaum. Und der andere Wärter steigt auf die Leiter. Und der eingesperrte Wärter hält die Leiter fest. Wirst sehen, die holen den Affen herunter.«

»Armer Affe«, sagte ich. Der Großvater und ich waren uns einig, daß Affen nicht in Käfige, sondern in den Urwald gehören.

»Oh, oh, oh«, rief der Großvater aufgeregt. »Der Knabe ist ja besser als Tarzan persönlich! Der hat einen Strick in der Buche festgebunden. Jetzt schwingt er sich am Strick zum Affenbaum hinüber. Und jetzt schwingt er zur Buche zurück. Mit dem Affen auf dem Buckel. Hä, hä, hä, die Wärter stehen mauloffen da. Schade, daß du sie nicht sehen kannst!«

»Sie werden die beiden eben nun aus der Buche rausholen«, sagte ich.

»Versuchen sie schon«, rief der Großvater. »Sie rennen mit der Leiter zur Buche. Alle drei Wärter, einer nach dem anderen, klettern auf die Leiter. Sie turnen im Geäst herum. Wie die Winterbirnen hängen sie an den Zweigen.«

»Und?« fragte ich.

»Jetzt klettern sie wieder herunter«, sagte der Groß-vater.

»Haben sie den Fritzi und den Affen?« fragte ich.

Der Großvater schüttelte den Kopf. »Die beiden sind futsch«, sagte er.

»Wohin sind sie?« fragte ich.

»Ich weiß nicht«, sagte der Großvater. Er drehte den Briefbeschwerer ein bißchen hin und her. »Ich sehe nur, daß der Strick auf der anderen Seite der Tiergar-tenmauer aus den Buchenzweigen baumelt. Und dort, wo der Strick baumelt, ist am Boden unten ein Kanalgitter. Das Kanalgitter ist offen.«

Den ganzen Tag lang bemühte sich der Großvater, den Fritzi wieder in den Briefbeschwerer zu locken, um zu sehen, was aus dem Affen Bonzo geworden war. Aber Schnecken! Der Fritzi Zapletal ließ sich zu nichts zwingen. Er war da, wann er wollte, und er war weg, wann er wollte. Er tauchte erst wieder bei der nächsten Rollkur vom Großvater auf. Aber nur sehr kurz und ohne Bonzo. Er saß in der Schule und malte kleine Männchen auf den Deckel seines Rechenheftes. Er war um einen Kopf größer als die anderen Kinder, die um ihn herumsaßen. Woraus zu schließen war, daß er schon viele Jahre in die erste Klasse ging.

Auf den Bonzo mußten wir bis zur übernächsten Rollkur warten. Der Großvater hatte gerade die Frau Benedikt im Briefbeschwerer. Er schaute ihr beim Anziehen zu. Ich hatte ihn darum gebeten. Meine Schwester behauptete nämlich immer, daß die Frau Benedikt in Wirklichkeit gar nicht so kugelrund sei. Sie trage bloß, meinte meine Schwester, vier Unterhosen und vier Unterröcke übereinander. Das wollte ich kontrollieren!

Der Großvater sagte: »Du, das wird langweilig. Sie geht im Nachthemd herum. In einem rosa Flanellnachthemd. Sie stellt Wasser auf den Herd. Das kann ewig dauern, bis sich die Alte anzieht.«

»Wie dick ist sie denn im Nachthemd?« fragte ich.

»Das Nachthemd hat viele Rüschen«, sagte der Großvater. »Ich habe keinen Überblick.« Und dann sagte er: »Wart! Wart! Es wird neblig, ganz, ganz neblig!«

Ich hielt den Atem an.

»Du, wir haben Glück«, flüsterte der Großvater. »Der Nebel legt sich. Ich seh eine Gasse, die Gasse kommt mir bekannt vor, das muß die Kalvarienberggasse sein, oben beim Dornerplatz. Und da gehen zwei. Ich sehe sie nur von hinten. Moment! Das ist ja unglaublich! Der eine ist der Fritzi Zapletal. Der andere ist der Bonzo!«

Der Bonzo hatte einen grünen Hubertusmantel an und eine rote Pudelhaube auf dem Kopf. Seine Wadeln steckten in weißen Stutzen. An den Füßen hatte er genagelte Goiserer.

»Jetzt gehen sie ins Haus rein«, sagte der Großvater.

»Schau die Hausnummer an«, rief ich.

»Hundertzwölf«, sagte der Großvater. »Oder hundertzweiundzwanzig. So genau kann ich das nicht ausnehmen. Es wird schon wieder so neblig.« Dann sah der Großvater nichts mehr außer weißgrauen Nebelschwaden, und als sich die gelegt hatten, war wieder die Frau Benedikt im Briefbeschwerer, hatte ihr rotes Dirndlkleid an und war kugelrund.

Ich hatte keine Lust, bis zur nächsten Rollkur vom Großvater zu warten, um mehr vom Fritzi und vom Bonzo zu erfahren. Am nächsten Tag, am Nachmittag, ging meine Mutter zum Friseur um Dauerwellen. Sich Dauerwellen machen lassen war eine langwierige Prozedur. »Elektrische Dauerwelle« hatte man damals. Jeder Lockenwickler wurde mit elektrischem

116

Strom heiß gemacht. Stundenlang mußte man beim Friseur sitzen, bis die Dauerwellen fertig waren. Ich war mir ganz sicher, daß meine Mutter erst am Abend zurückkommen würde.

Meine Schwester hatte ihre Freundin zu Besuch. Die beiden saßen im Zimmer, in der Fensternische. Sie tuschelten miteinander. Sie erzählten sich Geschichten, die ich nicht hören sollte. Sooft ich in ihre Nähe kam, zischte eine von ihnen der anderen zu: »Pscht!« So blöd taten sie immer! Dabei hatten sie gar keine tollen Geheimnisse. Von irgendwelchen Buben redeten sie, die ihnen gefielen. In die sie verliebt waren.

Ich zog mir die Strickweste an, legte meine Puppe in den Puppenwagen und deckte sie zu.

»Gehst in den Hof?« fragte mich meine Schwester. Sie hatte von meiner Mutter den Auftrag, auf mich aufzupassen. Ich sagte weder ja noch nein, ich wackelte bloß ein bißchen mit dem Kopf. Meine Schwester hielt das für ein Ja.

»Aber bleib vorn bei der Klopfstange«, sagte sie. »Damit ich dich vom Küchenfenster aus sehen kann.«

So eine Gschaftlhuberin! Dauernd mußte sie sich wichtig machen!

Ich schob den Puppenwagen aus der Wohnung und

knallte die Wohnungstür hinter mir zu. Bei der Gang-Bassena stand die Minna-Tante. Sie ließ die Wasserkanne vollrinnen und summte ein Lied. Welches Lied sie summte, konnte man nicht erkennen, weil die Minna-Tante immer sehr falsch summte. Ich fuhr an der Minna-Tante vorbei. Die Minna-Tante hörte zu summen auf.

»Wohin gehst denn?« fragte sie mich. Da ich bereits an der Hoftür vorbeigefahren war, konnte ich den Schwindel vom Hof-Gehen nicht mehr sagen.

»Vors Haus«, sagte ich. Ich war oft vor dem Haus! Meistens malte ich mir mit einem Stück Kreide einen Tempel auf das Pflaster und übte Tempelhüpfen und wartete darauf, daß ein anderes Kind kommen und mir Gesellschaft leisten möge.

Beim Nachbarhaus traf ich die Großmutter. Sie hatte ein leeres Einkaufsnetz in der Hand und schaute sehr grantig drein. Obwohl schon so lange Krieg war, konnte sie sich nicht daran gewöhnen, daß es in den Lebensmittelgeschäften nicht mehr viel zu kaufen gab.

»Buchteln gibt's keine heut«, sagte die Großmutter zu mir. »Net einmal mehr eine Germ haben's.« Dann fragte sie mich: »Wo gehst denn hin?«

Ich log: »Zum Franzi rauf.«

Die Großmutter hielt mir das Haustor vom Nachbarhaus auf, damit ich mit dem Puppenwagen hineinfahren konnte. Ich schob den Puppenwagen bis zur Stiege, lehnte mich an das Stiegengeländer und zählte von eins bis fünfzig. Nun mußte die Großmutter schon in unserem Haus sein!

Ich hatte recht gehabt. Als ich wieder auf der Gasse war, war nichts mehr von der Großmutter zu sehen. Ich marschierte der Kalvarienberggasse zu. Die Kalvarienberggasse war eine sehr lange Gasse. Dort, wo ich in die Kalvarienberggasse einbog, war das Haus mit der Hausnummer 24.

Langsam schob ich meinen Puppenwagen den Gehsteig entlang. Ich überlegte, wie ich den Fritzi Zapletal kennenlernen könnte. Soviel Zeit zu warten, bis er aus dem Haus 112 oder aus dem Haus 122 kam, hatte ich ja nicht. Aber man kann doch nicht einfach an einer Tür mit dem Türschild »Zapletal« klingeln und warten, bis jemand die Tür aufmacht, und sagen: »Ich möchte mit dem Fritzi reden, der den Affen hat. Mein Großvater sieht ihn im Briefbeschwerer!«

Bis zur Hausnummer 84 war ich mir sicher, daß das ganz unmöglich sei, doch dann überlegte ich mir die Sache anders. Ich sagte mir, daß eine Familie, die einen angezogenen Affen bei sich behalte, keine gewöhnliche Familie sei! Daß man bei so einer Familie sicher nicht auf Etepetete-Manieren bedacht sein müsse. Vielleicht, überlegte ich mir, war ohnehin kein Erwachsener in der Zapletal-Wohnung. Der Zapletal-Vater war sicher im Krieg, die Zapletal-Mutter könnte in der Arbeit sein, und die Zapletal-Großeltern könnten ja ganz woanders wohnen! Wenn der Zapletal Fritzi allein zu Hause ist, sagte ich mir, ist die Sache sehr einfach!

Im Haus mit der Hausnummer 112 wohnte bloß eine alte Frau. Das Haus war eine Bombenruine. Die eine Haushälfte, links vom Haustor, war nur mehr ein großer Schutthaufen. In der Haushälfte rechts vom Haustor gab es noch zwei halbwegs heile Zimmer im Parterre. Darüber ragten Mauerreste hoch. EINSTURZGEFAHR stand auf einem Zettel, der an das Haustor genagelt war. Ich stellte mich auf die Zehenspitzen und schaute in das Fenster neben dem Haustor hinein. Das Fenster war zugemacht, doch die Glasscheiben in den Fensterflügeln fehlten. Über die Oberlichte war komisches gelbes Papier genagelt. Dieses komische gelbe Papier war damals in vielen kaputten Fenstern als Glasersatz. Es war eine Art Pergamentpapier, das auf ein dünnes Hasenstallgitter geklebt war.

Im Zimmer waren vier Holzpfosten, die reichten vom Fußboden bis zur Zimmerdecke. Das Zimmer war gepölzt. Die Holzpfosten sollten die Zimmerdecke am Einstürzen hindern. Eine alte Frau war auch im Zimmer. Sie saß bei einem kleinen Tisch und strickte. Einen Socken strickte sie. Bei der Ferse war sie gerade.

»Suchst jemand?« fragte mich die alte Frau.

»Den Zapletal Fritzi«, sagte ich.

»Da gibt's nur mehr mich«, sagte die alte Frau. Sie kratzte sich mit einer Stricknadel den Kopf. »Und Zapletals haben da auch früher nicht gewohnt. Aber ich glaub …«, die alte Frau deutete mit der Stricknadel, »… ein paar Häuser weiter oben, da gibt's eine Zapletal. Eine Dicke, Rothaarige war das, mit einem Doppelkinn und Elefantenhaxn.«

Ich sagte »Danke« und schob meinen Puppenwagen weiter.

»Wenn die nicht schon gestorben ist!« rief die alte Frau hinter mir her. »Gesehen hab ich sie schon lang nimmer.«

Das 122er Haus war ein sehr großes Haus. Vier Stockwerke hatte es. Viele Fenster waren in jedem Stock. Ich stellte den Puppenwagen vor dem Haustor ab und betrat den Hausflur. Ich suchte nach der Tafel mit den Namen der Mieter. In den meisten Häusern waren solche Tafeln. Aber es war ziemlich düster im Hausflur. Endlich entdeckte ich die Tafel, doch sie hing so weit oben, daß ich die Namen auf ihr nicht lesen konn-

te. Bloß HAUSBESORGER TÜR 1 konnte ich ent-
ziffern. Ich ging zur Hoftür. Die Hoftür hatte Glasscheiben aus rotem und blauem und violettem Glas.
Durchschauen konnte man durch die bunten Scheiben nicht. Ich machte die Hoftür auf. Der Hof vom
122er Haus war ziemlich klein und gepflastert. Ich sah
einen Hackstock und eine Teppichklopfstange, vier
Mistkübel und einen NSV-Bottich, drei Kohlenkisten
und vier Hasenställe neben den Kohlenkisten an der
Ziegelmauer zum Nachbarhof hin. Weiße Hasen mit
roten Augen saßen in den kleinen Käfigen. Große,
dicke Hasen, kaum kleiner als die Käfige. Ich ging zu
den Hasenställen hin. Ich hockte mich vor einen Käfig
und bohrte einen Zeigefinger durch das Hasenstallgitter. Der Hase, der im Käfig saß, schnupperte an
meinem Finger herum.

»Armer Has«, sagte ich, »lang lebst du nimmer. Bald
bist ein Gulasch.«

»Der wird kein Gulasch«, sagte eine Kinderstimme
hinter mir. »Das ist meiner, den darf ich behalten, bis
er von ganz allein stirbt.«

Ich drehte mich um. Vor mir stand ein Bub. Ein sehr
großer Bub.

»Seid ihr eingewiesen worden?« fragte der Bub.

Eingewiesen wurden ausgebombte Leute. Wenn eine
Bombe jemandem die Wohnung zerschlagen hatte,

mußte der zur »Bombenstelle« gehen und bekam einen Einweisungsschein. Er wurde Untermieter bei Leuten, die eine heile Wohnung und ein Zimmer zuviel hatten.

Ich schüttelte den Kopf.

»Bist du Besuch bei wem?« fragte der Bub.

Ich schüttelte wieder den Kopf.

»Was willst dann in unserem Hof?« fragte er.

»Nur so halt«, sagte ich.

»Wennst glaubst, daß du bei uns Hasen stehlen kannst«, sagte der Bub, »dann bist deppert. Auf unsere Hasen passen wir auf wie die Haftelmacher.«

Ich war fest davon überzeugt, den Fritzi Zapletal vor mir zu haben. Er grinste genauso, wie es der Großvater beschrieben hatte. Er hatte blonde Haare und war hübsch. Er hatte blitzblaue Augen und Sommersprossen auf den Wangen. Für eine Hasendiebin sollte mich der Fritzi Zapletal nicht halten!

»Ich wollte dich nur kennenlernen«, sagte ich.

»Mich?« Der Bub schaute erstaunt.

Ich nickte.

»Und warum?« fragte der Bub.

Es war doch schwieriger, als ich gedacht hatte. Ich kaute an meiner Unterlippe herum und überlegte, wie ich dem Fritzi Zapletal alles am besten erklären könnte.

123

»Woher weißt denn überhaupt, daß es mich gibt?« fragte der Bub.

»Von meinem Großvater«, sagte ich. »Der sieht dich oft.«

»Verwechselst mich nicht?« fragte der Bub. »Ich kenn keinen, der dein Großvater sein könnt, ehrlich nicht.«

»Du bist doch der Fritzi Zapletal«, sagte ich.

»Ich bin der Hansi Huber«, sagte der Bub.

»Ohne Schmäh?« fragte ich.

»Ohne Schmäh«, sagte der Bub. Es klang ehrlich.

»Aber der Fritzi Zapletal muß hier im Haus wohnen«, sagte ich. »Das weiß ich genau. Ehrlich.«

Der Bub schüttelte den Kopf. »Im ersten Stock wohnt ein Fritzi, aber der heißt Hodina. Im vierten Stock wohnt ein Zapletal, aber der heißt Franzi.«

Fritzi und Franzi ist leicht zu verwechseln, wenn man alte, kurzsichtige Augen hat. Der Großvater hatte alte, kurzsichtige Augen!

»Schaut der Franzi Zapletal so ähnlich aus wie du?« fragte ich den Hansi Huber.

Der Hansi Huber lachte. Von einem Ohr bis zum anderen lachte er. »Nein, wirklich nicht«, sagte er. »Er ist blad wie ein Gurkenfassl und hat brandrote Haar und Flatterohrwaschel, und seine Vorderzähn stehen so windschief, daß er beim Luftholen pfeift.«

»Hat er in der Schul lauter Fünfer?« fragte ich.

»Die hat er.« Der Hansi Huber nickte. »Nix wie Fünfer hat er. So was von einem Zeugnis hab ich noch nie gesehen. Sogar in Singen und in Turnen und in Zeichnen hat er Fünfer. Hätt ich es nicht mit eigenen Augen gesehen, ich hätt's nicht geglaubt.«

Nun war mir alles klar! Der Großvater hatte im Briefbeschwerer den Hansi Huber gesehen. Aber weil der Hansi Huber gerade das Zeugnis vom Franzi Zapletal in der Hand gehalten hatte, hatten wir angenommen, wir hätten den Zapletal vor uns. So mußte das gewesen sein! Alles hatte gestimmt, nur der Name war falsch gewesen!

»Soll ich dir den Zapletal runterpfeifen?« fragte der Hansi Huber. »Auf dreimal Pfeifen kommt er.«

»Nein, nein«, wehrte ich ab. »Den brauch ich nicht mehr.«

»Mir scheint, du bist ein bißl plemplem«, sagte der Hansi Huber.

»Selber plemplem«, sagte ich. Das erklärte zwar überhaupt nicht, warum ich da war und was ich wollte, doch es entsprach den ungeschriebenen Kinderregeln, die wir bei uns in der Gegend hatten. Man mußte mit gleicher Münze zurückzahlen. Schimpfte einen ein Kind »Depp« oder »Trottel«, hatte man »selber Depp« und »selber Trottel« zurückzuschimpfen. Total geregelt war der Ablauf von Kinderstreit. Kam man auf der Straße an einem »Feind« vorbei, fragte der auf alle Fälle: »Was schaust denn so blöd?« Darauf antwortete man nun nicht: »Laß mich in Ruh!« oder: »Schleich dich!« oder sonst irgend etwas Unhöfliches, das einem gerade in den Sinn kam. Man mußte unbedingt sagen: »Weil ich Augen hab!« Und dann sagte der Feind: »Augen hat ein Blinder auch!« Und darauf sagte man: »Aber schauen kann er nicht.« Und dann konnte man weitergehen. Ich weiß, das klingt komisch, aber genauso war es! Und auf »plemplem« hatte man »selber plemplem« zu antworten, auch wenn man viel lieber ganz etwas anderes gesagt hätte. Das ist schon so, wenn man sich etwas richtig antrainiert hat: Bevor das Hirn noch überlegt hat, was da die richtige Antwort wäre, hat der Mund längst die falsche Antwort gesagt.

Der Hansi Huber hielt sich auch an die Regeln. »Doppelplemplem«, sagte er. Doch seine Neugier war größer als seine Lust auf ein Schimpfduell. Bevor ich noch »Vierfachplemplem« sagen konnte, legte er eine Hand auf meine Schulter und grinste wieder und sagte mit Versöhnungsstimme: »Was willst wirklich? Red oder scheiß Buchstaben!«

»Mein Großvater kann dir das viel besser erklären«,

wich ich aus. »Komm mit mir. Ich wohn nicht weit.«
Der Hansi Huber zögerte.

»Meine Großmutter gibt dir auch ein Schmalzbrot«, lockte ich.

Der Hansi Huber zögerte noch immer.

»Und ich hab noch drei Zitronenzuckerln«, sagte ich. Nun war der Hansi Huber zum Mitkommen bereit.

»Mußt deiner Mutter nicht sagen, daß du fortgehst?« fragte ich den Hansi, als wir durch den dunklen Hausflur gingen.

»Paah, wieso denn? Ich bin ja kein Baby mehr«, sagte der Hansi. Ich nickte, aber ich glaubte ihm nicht. Genauso hatte ich auch schon oft geredet, obwohl ich gewußt hatte, daß mich beim Heimkommen ein riesiger Krach erwarten werde.

Wir marschierten die Kalvarienberggasse hinunter. Der Hansi hielt einen Abstand von gut einem Meter zu mir ein. Er fand meinen Puppenwagen kindisch und lächerlich.

»Glaubst denn«, sagte er, »ich will, daß mich einer von meinen Freunden so sieht? Und daß der glaubt, daß ich noch Vater-Mutter-Kind spiel?«

Ich log: »Den blöden Puppenwagen hab ich sonst nie mit, weil ich schon zu groß dafür bin. Den hab ich nur herschenken wollen. Aber die, der ich ihn hab schenken wollen, die war nicht daheim, die war bei ihrer

127

Großmutter.« Ob mir der Hansi das glaubte, wußte ich nicht.

Bei der Pezzlgasse waren wir, da heulten die Luftschutzsirenen los. Ich wollte heimlaufen. Bis zu meinem Haus waren es bloß noch drei Gassen. Der Hansi wollte auch heimlaufen. Doch eine alte Vettel, eine mit einer Gretelfrisur und einer Hakenkreuzbinde über einem Ärmel, scheuchte uns zum Pezzlpark hin, zum Bunker. Wir wagten keinen Widerspruch.

Den Puppenwagen durfte ich nicht in den Bunker mitnehmen. Ich ließ ihn bei der Sandkiste stehen. Meine Puppe hätte ich gern aus dem Puppenwagen genommen und bei mir behalten. Sie war meine Lieblingspuppe. Lisi hieß sie. Echte Haare und Schlafaugen hatte sie. Solche Puppen waren damals noch selten. Die meisten Puppen hatten bloß aufgemalte Augen und aufgemalte Haare. Aus Angst, der Hansi könnte mich wieder für »kindisch« halten, ließ ich die Lisi im Puppenwagen liegen.

Bunker waren viel sicherer als Hauskeller, weil sie dicke Betondecken hatten, die auch von der größten Bombe nicht zerschlagen werden konnten. Ich haßte Bunker trotzdem. In den Bunkern war es stickig und eng. Die Menschen hockten dicht aneinander auf schmalen Holzbänken oder auf mitgebrachten Klappstockerln. Alle hatten ihre kleinen Köfferchen mit dem Notgepäck auf den Knien. Manche beteten, manche erzählten Schauergeschichten, und die kleinen Kinder brüllten wie verrückt. Oft war ich noch nicht in einem Bunker gewesen. Erst zweimal hatte ich in einen Bunker hinunter müssen, mit meiner Mutter, auf dem Heimweg von der Pepi-Tante, als uns ein Fliegerangriff überrascht hatte.

Der Hansi und ich bekamen einen Platz zwischen einer dicken jungen Frau und einer dünnen alten Frau. Niemand kümmerte sich um uns. Mir ging meine Mutter ab. Die saß im Keller sonst immer neben mir und meiner Schwester und erzählte uns Geschichten. Meistens erzählte sie uns das Märchen vom »Hansl, trag mich in mein Loch«. Das konnte ich jeden Tag zehnmal hören, ohne daß es mir langweilig wurde.

Ich drückte mich an den Hansi. Der Hansi flüsterte mir zu: »Mir scheint, da hat sich wer angeschissen, sonst könnt's da nicht so stinken.« Dann ging das Licht aus. Ziemlich lang saßen wir im Stockdunklen. Irgend jemand sagte, der »Notstrom« werde gleich kommen. Aber das stimmte nicht.

»Erzählen wir uns was, daß die Zeit vergeht«, sagte der Hansi zu mir.

»Was denn?« fragte ich.

»Irgendwas«, sagte der Hansi.

Da erzählte ich dem Hansi vom Großvater und vom

Briefbeschwerer. Der Hansi erkannte sich wieder. »Ja«, sagte er. »Eine blaue Hose und ein weißes Hemd hab ich!« Und in der Schule malte er immer Männchen aufs Löschblatt. Einen Kopf größer als die anderen Kinder in seiner Klasse war er auch. »Aber nicht, weil ich sitzengeblieben bin«, sagte er. »Bei mir in der Familie sind alle so groß. Mein Vater war fast zwei Meter lang.« Ich wußte, was das zu bedeuten hatte. Der Vater vom Hansi war tot, war im Krieg gefallen. Der Hansi tat mir leid. Ich hätte ihm das gern gesagt. Doch mir fiel nicht ein, wie ich das hätte sagen können. Ich sagte bloß: »Mein Vater ist in Rußland.« Das sollte heißen: Es ist auch nicht sicher, ob mein Vater am Leben bleibt.

»Aber das mit dem Affen stimmt nicht«, sagte der Hansi. Er hatte den Bonzo nicht daheim, er hatte den Bonzo nicht aus dem Tiergarten befreit, er war schon lang nimmer im Tiergarten gewesen. »Ich glaub«, sagte der Hansi, »der Tiergarten ist gar nimmer geöffnet, da kann man gar nimmer hingehen.«

»Aber der Großvater hat's doch gesehen«, sagte ich.

»Hat sich der Briefbeschwerer geirrt«, sagte der Hansi. »Meine Oma geht oft zur Wahrsagerin. Die schaut in den Kaffeesud und legt die Karten. Der Kaffeesud und die Karten irren sich auch manchmal.«

»Der Briefbeschwerer hat immer recht«, sagte ich.

130

Der Briefbeschwerer konnte ja nicht nur die Vergangenheit und die Gegenwart herzaubern, er konnte auch in die Zukunft schauen.

»Du wirst den Bonzo befreien«, sagte ich. Ich war richtig froh, daß alles noch vor uns lag. »Und wenn dich deine Mutter rausschmeißt, wenn du mit dem Affen ankommst«, sagte ich, »dann bring ihn zu mir nach Haus, mein Großvater nimmt ihn sicher.« Daß meine Großmutter keinen Affen im Haus dulden würde, war mir klar. Doch das machte nichts! Würde ihn Albicoco eben ins geheime Tal schaffen! Davon erzählte ich dem Hansi nichts. So gut, daß ich ihm dieses Geheimnis verraten hätte, kannten wir uns noch nicht.

Über eine Stunde hockten wir im Stockdunklen. Wir überlegten uns die Sache mit dem Bonzo.

»Solange noch Krieg ist«, sagte der Hansi, »gibt's keinen Tiergarten mehr. Also ist der Krieg bald aus. Sonst hätt mich dein Großvater nicht in der blauen Hose und in dem weißen Hemd gesehen. In die Sachen paß ich jetzt schon fast nimmer rein. In ein paar Monaten bin ich drausgewachsen.«

»Und auf dein Haus fällt auch keine Bombe«, sagte ich. »Sonst hätt dich der Großvater nicht in das Haustor reingehen sehen. Und er hat nicht gesagt, daß da irgendwo Schutt ist.«

»Das ist gut«, sagte der Hansi. Er legte einen Arm um meine Schultern. »Ich würd's gern meiner Mutter erzählen«, sagte er, »weil die soviel Angst hat, daß wir ausgebombt werden. Aber die glaubt an solche Sachen nicht.«

Dann ging das Licht wieder an, und gleich darauf schepperte eine Lautsprecherstimme los und gab durch, daß der Bombenalarm vorüber sei. Die Leute hatten es schrecklich eilig, aus dem Bunker zu kommen. Sie sprangen auf und drängten dem Ausgang zu. Der Hansi und ich warteten, bis das ärgste Gedränge vorüber war.

»Ich muß heim«, sagte der Hansi. »Gib mir deine Adress. Ich komm nachher zu dir.« Und dann fügte er hinzu: »Wenn's meine Mutter erlaubt. Sonst komm ich halt morgen.«

Als wir endlich aus dem Bunker draußen waren, sah ich, daß mein Puppenwagen nicht mehr bei der Sandkiste war. Ich fing zu weinen an.

»Was heulst denn?« fragte der Hansi. »Ist doch ganz Wurscht, wennst ihn eh herschenken hast wollen.«

»Hab ich ja gar nicht wollen«, schluchzte ich. »Hab ich ja nur so gesagt.« Heulend und laut schluchzend ging ich heim. Alle Häuser, an denen ich vorbeikam, waren heil und genauso wie vor dem Bombenalarm. Die

Flieger hatten ihre Bomben auf einen anderen Stadtteil geworfen.

Meine Mutter war zu Hause und schaute sehr komisch aus. Sie war vom Friseur heimgelaufen, als die Luftschutzsirene geheult hatte. Oben auf dem Kopf hatte sie ein paar blecherne Lockenwickler, rundherum waren ihre Haare zu krausen Zotteln aufgetrocknet. Sie war heilfroh, mich wiederzuhaben. Sie schimpfte gar nicht mit mir. Mein Puppenwagenunglück verstand sie nicht. Sie unterbrach mein Heulen und Schluchzen dauernd und rief: »Sei froh, daß wir alle leben und ein Dach über dem Kopf haben.«

Um den Puppenwagen war mir sehr leid, aber um meine Lisi litt ich Höllenqualen. Schreckliche Vorwürfe machte ich mir. Warum nur hatte ich Lisi allein gelassen? Warum nur hatte ich wegen dem Hansi so getan, als sei mir meine Lieblings-Lisi völlig gleichgültig?

Am Abend ging ich zum Großvater hinüber. Ich sagte zum Großvater: »Hol den Briefbeschwerer. Schau nach, wo meine Lisi ist.«

Der Großvater wollte nicht.

»Das funktioniert doch nur an den Rollkurtagen«, behauptete er.

»Probier's trotzdem«, verlangte ich.

»Es hat keinen Reibach.« Der Großvater blieb stur.

»Probier's wenigstens.« Ich blieb auch stur.

Der Großvater seufzte. »Ich brauch da keinen Briefbeschwerer«, sagte er. »Ich weiß eh, wo deine Lisi hingekommen ist. Aber ich trau mich nicht, es dir zu sagen.«

»Red oder scheiß Buchstaben!« rief ich.

Der Großvater regte sich zuerst einmal gewaltig über die »geschissenen Buchstaben« auf. So dürfe man, sagte er, mit einem Großvater nicht reden. Doch dann erzählte er mir: »Also, wie die Sirene geheult hat, war ich grad im Hof. Die anderen im Haus sind in den Keller runter. Und deine Schwester war ganz aufgeregt, weil du wieder einmal nicht da warst. Und weil ich eh nicht gern in den Keller geh, hab ich mir gedacht, ich schau mich um nach dir. Sehr weit weg, hab ich mir gedacht, wirst ja nicht sein. Ich geh dich heimholen, hab ich mir gedacht. So bin ich also die Gasse runter, und wie ich zum Pezzlpark komm, seh ich dort bei der Sandkiste deinen Puppenwagen. Da war mir klar, daß du im Bunker drin bist. Denk ich mir: Den Puppenwagen nimmst heim, sonst stiehlt ihn noch wer. Und wie ich mit dem Puppenwagen zu unserem Haus rauf fahr, grad, wie ich an meiner Garage vorbeikomm, kommt mir Albicoco entgegen. Und er sagt mir, daß er heut am Abend noch ins geheime Tal fliegt.«

»Und?« fragte ich.

»Und die haben dort keine einzige Puppe«, sagte der Großvater.

»Und?« fragte ich.

»Und du hast doch noch vier andere Puppen«, sagte der Großvater.

»Du hast Albicoco die Lisi für die Kinder geschenkt?« fragte ich.

»Hätt ich das nicht tun sollen?« fragte der Großvater.

Ich gab dem Großvater keine Antwort.

»Der Lisi geht es im geheimen Tal sicher sehr gut«, sagte der Großvater. »Aber wennst willst, bringt sie Albicoco beim nächsten Mal wieder zurück. Soll er?«

Ich gab dem Großvater wieder keine Antwort.

»Jetzt red oder scheiß Buchstaben!« rief der Großvater.

»Albicoco soll die Lisi von mir grüßen lassen beim nächsten Mal«, sagte ich und schluckte ein paar Tränen hinunter.

»Du bist ein sehr edles Kind«, sagte der Großvater. Ich nickte. Ich kam mir wirklich sehr, sehr edel vor.

Der Hansi kam an diesem Tag nicht mehr zu mir. Auch am nächsten Tag kam er nicht. Erst am übernächsten Tag, am Nachmittag, kam er. Er traute sich aber nicht bis zu unserer Wohnung. Er ging vor unserem Haus auf und ab. Fast hätte ich ihn gar nicht bemerkt. Meine Schwester sah ihn. Sie schaute zum Fenster raus, schüttelte den Kopf und sagte: »Da schleicht einer beim Haustor herum. Wie ich von der Klavierstunde gekommen bin, war er schon da. Und jetzt ist er immer noch da. Was will denn der?«

Ich lief aus der Wohnung und holte den Hansi ins Haus. Ich brachte ihn gleich zum Großvater in die Wohnung. Meine Mutter und meine Schwester brauchten so geheime Sachen nicht zu hören. Sie verstanden davon überhaupt nichts. Ich hatte mir abgewöhnt, ihnen vom Großvater und vom Geheimsender und vom Briefbeschwerer und von Albicoco zu erzählen. Sie grinsten doch nur dumm und schüttelten die Köpfe und taten, als sei ich total übergeschnappt.

Der Großvater schaute sich den Hansi sehr genau an. »Einwandfrei, das ist er!« sagte er. »Dich sehe ich im Briefbeschwerer. Da gibt es gar keinen Zweifel. Irrtum ausgeschlossen. Allerdings …«, der Großvater runzelte die Stirn, »… etwas kleiner kommst mir in Wirklichkeit vor.« Der Großvater kratzte sich am

Kopf. »Und deine Haare sind im Briefbeschwerer viel länger.«

»Die hat mir meine Mutter vorgestern geschnitten«, sagte der Hansi. »Weil mir die Frau Lehrerin ein Brieferl mitgegeben hat. Deutsche Jungen, hat sie in dem Brieferl geschrieben, dürfen nicht so lange Haare haben.«

»Wie lang waren denn seine Haare im Briefbeschwerer?« fragte ich den Großvater.

»So ungefähr.« Der Großvater zeigte zwischen Daumen und Zeigefinger eine Spanne von ungefähr zehn Zentimetern. »Und vorn an der Stirn«, sagte er, »da sind sie ihm ins Gesicht gefallen, bis aufs Nasenspitzel runter.«

»Wachsen deine Haare schnell?« fragte ich den Hansi. Der Hansi wußte es nicht. Er zuckte mit den Schultern.

»Wie lang dauert's denn, bis deine Haare wieder bis zum Nasenspitzel hängen?« fragte ich den Hansi.

»Ein paar Monat halt«, sagte der Hansi.

»Wieviel Monat?« drängte ich. »Zwei oder vier oder acht?«

Der Hansi zuckte wieder mit den Schultern.

»Warum willst denn das so haargenau wissen?« fragte mich der Großvater.

»Weil er dann den Bonzo befreit und weil dann der

Krieg aus ist«, erklärte ich dem Großvater. »Weil der Briefbeschwerer in die Zukunft geschaut hat.«

»Haare wachsen im Monat um einen Zentimeter«, sagte der Großvater. Er nahm ein Lineal und zog dem Hansi eine dünne Haarsträhne in die Stirn. Bis zu den Augenbrauen reichte sie. Bis zur Nasenspitze fehlten noch fünf Zentimeter.

»Hurra, in fünf Monaten ist der Krieg aus«, rief der Großvater.

Die Großmutter hatte das gehört. Sie kam aus der Küche ins Kabinett gelaufen, ganz aufgeregt war sie.

»In fünf Monaten ist der Krieg aus?« rief sie. »Wer sagt das? Haben's das im Radio durchgegeben?«

Ich wollte der Großmutter erklären, warum der Krieg in fünf Monaten – spätestens – aus sein müßte, aber der Großvater zwinkerte mir zu, und das hieß: Mund halten, nichts sagen, Geheimnis bewahren!

Scheinheilig schaute der Großvater die Großmutter an. »Da mußt dich verhört haben, Julia«, sagte er. »Wie soll denn ich wissen, wann der Scheißkrieg aus ist. Wie kommst denn auf die Idee?«

Die Großmutter murmelte irgend etwas Unverständliches, drehte sich um und ging wieder in die Küche zurück.

»Apropos Radio«, sagte der Großvater. Er deutete

auf den kleinen Tisch beim Fenster. Auf dem stand das Geheimradio vom Erfinder. Es war zerlegt. »Ich versuche gerade den alten Kasten zu reparieren«, sagte er. »Heut und gestern hab ich keinen Ton reinkriegt. Wahrscheinlich liegt's am vielen Staub.«

Der Hansi ging zum Radio hin. »Klar«, rief er, »da ist ja mehr Staub dran als unter meinem Bett.« Er blies in das offene Radiogehäuse hinein. »Darf ich Ihnen helfen beim Reparieren?« fragte er den Großvater. »Ich kann das nämlich. Das hab ich von meinem Onkel gelernt.« Der Großvater freute sich. Einen Helfer, sagte er, habe er schon lange gesucht.

Den ganzen Nachmittag bastelten der Hansi und der Großvater am alten Radio herum und redeten über Drähte und Röhren und den anderen Kram im Radiobauch. Mit mir redeten sie überhaupt nicht. Am liebsten hätte ich den Hansi heimgeschickt. Der Großvater gehörte mir! Ich hatte es schon nicht gern, wenn der Großvater zu lang mit meiner Schwester spielte, aber ein fremdes Kind ging ihn gar nichts an! Doch ich konnte den Hansi nicht gut wegschicken. Mit einem, der demnächst einen Affen haben wird, muß man sich vertragen. Sonst schmeißt er einen dann auch raus, wenn man den Affen besuchen will! Zähneknirschend hockte ich neben den beiden. Um sechs Uhr fragte ich den Hansi: »Mußt nicht heim?«, und war heilfroh, als der Hansi entsetzt schaute, aufsprang und sich verabschiedete.

»Darf ich morgen wiederkommen?« fragte er den Großvater.

»Ich bitte darum«, antwortete der Großvater.

Und als der Hansi gegangen war, erklärte mir der Großvater, daß er so einen netten, lieben, gescheiten Buben schon lange nicht mehr getroffen habe. Er merkte nicht einmal, daß ich grantig dreinschaute. Richtig lieb hatte ich an diesem Abend die Großmutter, weil sie sagte: »Dieser Bub hat mir net gefallen. Der ist ungewaschen.« Der Hansi kam nun jeden Tag, manchmal bloß auf einen »kleinen Sprung«, manchmal blieb er stundenlang. Er kam nicht zu mir, er kam zum Großvater. Ich war doppelt eifersüchtig. Ich litt, weil der Großvater den Hansi gern mochte, und ich litt, weil der Hansi den Großvater lieber mochte als mich. Mein einziger Trost war, daß der Großvater dem Hansi nie etwas von der Julischka erzählte und nichts von Albicoco und vom Motorrad und den versteckten Kindern. Das blieb ein Geheimnis zwischen ihm und mir.

Meistens reparierten der Großvater und der Hansi am alten Radio herum oder an der Küchenuhr. Und der Hansi machte sich wichtig mit einer Lupe im rechten Auge und einer Pinzette in der Hand.

»Männer können eben mehr mit Buben anfangen«, sagte die Großmutter zu mir. Das sollte ein Trost sein. Es machte meine Eifersucht noch größer. Ich war ohnehin nicht gern ein Mädchen. Buben, kam mir vor, waren besser dran im Leben. Beliebter waren sie auch. Dafür gab es viele Beweise. Stellte ein Bub etwas an, zerriß ein Bub seine Hosen, machte sich ein Bub ganz dreckig, hieß es: »Er ist halt ein echter Bub!« Zerriß ein Mädchen seine Kleider, machte sich ein Mädchen dreckig, stellte ein Mädchen etwas an, wurde es ausgeschimpft. Und meine Mutter sagte oft zu mir: »Eigentlich hättest ein Bub werden sollen, ich hab mir einen Buben gewünscht, wie ich mit dir schwanger war.« Mir kam vor, als ob sie noch immer traurig darüber wäre, daß aus mir kein Bub geworden war. So waren die meisten Mütter. Bekam eine Frau einen Buben, war das ein »Stammhalter«, und alle freuten sich, aber oft hörte ich jemanden enttäuscht sagen: »Es ist leider wieder nur ein Mädchen geworden.« Es kränkte mich, zu den Leider-nur-Kindern zu gehören. Handarbeiten mußten Mädchen auch! Stricken und häkeln mußten sie in der Schule lernen. Aus grauer, kratziger Wolle mußten sie Fäustlinge und Socken stricken. Lieber hätte ich vier Seiten lang Rechnungen geschrieben als vier Nadeln vom Fäustling abgestrickt. Stricken und

Häkeln war die scheußlichste Arbeit, die ich überhaupt kannte!

Der einzige Vorteil, ein Mädchen zu sein, war, daß ein Mädchen weinen durfte. Buben durften das nicht. Weinte ein Bub, hieß es: »Schäm dich, ein Bub weint doch nicht!« Da ich aber ohnehin nur selten weinte, erschien mir dieser Vorteil nicht sehr wichtig.

Vier Wochen lang kam der Hansi zum Großvater. An einem Sonntag kam er zum letzten Mal. Er hatte seine blaue Hose an und sein weißes Hemd. Er schaute traurig drein. »Ich fahr mit meiner Mutter aufs Land, nach Kärnten«, sagte er. »Dort hat meine Mutter eine Freundin. Wir werden dort bleiben, bis der Krieg aus ist.«

Der Großvater schenkte dem Hansi zum Abschied einen alten Wecker und die Lupe und zwei Pinzetten. Der Hansi versprach, uns jede Woche einen Brief zu schreiben. »Und gleich am ersten Tag, wenn wir dann wieder zurück sind«, sagte er zum Großvater, »komm ich auf Besuch.«

Nie kam ein Brief vom Hansi! Ob er keinen schrieb oder ob die Post seine Briefe verschlampte, darüber stritt ich mit dem Großvater. Der Großvater gab der Post die Schuld. Ich gab dem Hansi die Schuld.

Am Rollkurtag sah der Großvater den Hansi auf einer

Wiese liegen. Auf dem Bauch lag er. Einen roten Buntstift hatte er in der Hand. Vor ihm, auf der Wiese, lag ein Blatt Briefpapier. Mit großen roten Buchstaben hatte der Hansi auf das Papier geschrieben: LIEBE FREUNDIN! Ich glaubte nicht, daß ich diese LIEBE FREUNDIN war.

»Warum nicht?« fragte der Großvater.

»Weil er nur dich mögen hat«, antwortete ich.

»Unsinn!« sagte der Großvater.

»Wahrheit!« sagte ich.

»Aber er will dich heiraten, wenn er einmal groß ist«, sagte der Großvater. »Ehrenwort. Er hat bei mir um deine Hand angehalten.«

»Und warum hat er mir nichts gesagt?« fragte ich den Großvater.

»Hätt er schon noch, wenn er nicht weg müssen hätt«, sagte der Großvater. »Aber ich hab ihm deine Hand eh nicht gegeben.«

»Warum nicht?« fragte ich.

»Er ist ja ein ganz lieber Bub«, sagte der Großvater. »Aber aus lieben Buben können noch ekelhafte Männer werden. Da wollt ich mich nicht festlegen. Für dich ist gerade noch der beste Mann gut genug.«

Das freute mich mächtig. Daran konnte man sehen, daß mich der Großvater viel, viel, viel lieber hatte als den Hansi.

Im nächsten Frühjahr schlug eine Bombe in unser Nachbarhaus ein. In das Haus, in dem der Großvater die Motorradgarage hatte. Das Haus zerfiel zu einem riesigen Schutthaufen. Vom Garagenrollbalken und vom blau-weißen Holzschild war kein bißchen mehr zu sehen. Vom Motorrad natürlich schon gar nicht. Durch den großen Luftdruck, der entsteht, wenn eine Bombe explodiert, ging auch in unserem Haus viel kaputt. Fenster und Türen, Möbel und Klomuscheln, Geschirr und Kleider, Gangfliesen und Lampen. Im Kabinett vom Großvater war ein heilloses Durcheinander. Der Luftdruck hatte die Kabinettmöbel in eine Ecke geworfen. Der Schrank mit den Erfindersachen war nur mehr ein Bretterhaufen. Die Bücher waren zerfetzt, das alte Radio war in hundert Teile zerbrochen, dem Feldstecher fehlten die Linsen, das Messer von der Papierschneidemaschine war verbogen, und der Briefbeschwerer war zu Glasstaub zerfallen. Bloß eine rote und eine blaue Glasprimel fand ich.

In unserer Wohnung war der Schaden noch größer. Der Verputz hing von der Decke, in der Wand zur Nachbarwohnung war ein großes Loch. Unsere Betten waren auf Kleinholz zersplittert. Alle Polster und alle Tuchenten waren wie Siebe von Bombensplittern zerlöchert. Viele, viele winzige Daunenfedern schwebten im Zimmer herum. Als ob es schneite, schaute das aus.

In so einer Wohnung konnten wir nicht mehr schlafen und nicht mehr kochen und nicht mehr essen und nicht mehr spielen und nicht mehr Aufgaben schreiben. Eine Nacht lang schliefen wir beim Großvater in der Wohnung, meine Mutter auf dem Sofa, meine Schwester in einem Bett mit der Großmutter. Ich schlief beim Großvater im Bett. Am nächsten Tag packte meine Mutter die paar Sachen, die heil geblieben waren, in einen Koffer und zwei Leintuchbinkel. Wir hatten einen »Einweisungsschein« für eine Villa am Stadtrand bekommen.

Ich wäre gern beim Großvater geblieben. Ich heulte Rotz und Wasser, als wir mit dem Koffer und den Leintuchbinkeln aus dem Haus gingen. Ich hielt mich sogar an der Klinke vom Haustor fest und schrie: »Nein, nein, nein, ich bleibe hier!«

Doch meine Mutter war viel stärker als ich. Sie packte mich einfach und riß meine Hände von der Türklinke. Der Großvater half ihr dabei.

»Jetzt mach's doch deiner Mutter nicht noch schwerer«, sagte er. Ich nahm ihm das sehr übel.

In der Villa am Stadtrand wohnten viele Familien, die keine Wohnung mehr hatten. In jedem Zimmer wohnte eine andere Familie. Aber alle Familien hatten zusammen nur eine Küche. Und in dieser Küche stand bloß ein kleiner Holzherd. Mehr als drei Kochtöpfe gingen auf den nicht drauf. Um einen Kochplatz auf dem Herd gab es jeden Tag Streit. Sonst war es in der Villa recht schön. Bombenalarm gab es in der Gegend nie. Kinder zum Spielen gab es genug. Und der große Garten rund um die Villa herum gefiel mir sehr. Sogar einen sehr kleinen Hund gab es. Der gehörte der Familie, die im Zimmer über uns wohnte. Der Hund war erst ein paar Wochen alt. Ein richtiges Baby war er noch. Ich war mir ganz sicher, daß aus diesem Hundebaby der Hund werden würde, der mit mir redete. Er war bloß zu klein zum Reden. Er konnte noch nicht einmal richtig bellen.

Der Großvater kam uns nur selten besuchen. Die Straßenbahn fuhr nicht mehr. Bomben hatten die Straßenbahnschienen kaputtgeschlagen. Wenn der Großvater zu uns kam, hatte er einen langen Fußmarsch hinter sich. Gut zwei Stunden brauchte er, bis er bei uns war. Und dann mußte er sich ausruhen, um den Heimweg zu schaffen. Er war ganz anders als früher. Still war er. Traurig war er. Und ein bißchen ungeduldig war er auch. Einmal sagte er sogar zu mir: »Jetzt gib endlich Ruh«, als ich ihn fragte, wie es der Julischka gehe und was die Kinder im geheimen Tal machten. Von Albicoco wollte er mir auch nichts erzählen.

Ich versuchte ohne den Großvater auszukommen. Leicht war das nicht. Aber ich tröstete mich damit, daß der Krieg bald vorüber sein werde. Dem Hansi, sagte ich mir, müssen die Haare ja schon längst über die Nasenspitze bis zum Kinn hinunter gewachsen sein!

Ich hatte recht. Der Krieg ging wirklich bald zu Ende. Wir zogen in unsere Wohnung zurück und richteten sie wieder her. Der Großvater war nicht mehr so still. Traurig war er auch nicht mehr. Er hatte wieder viel Zeit für mich. Aber nun hatte ich weniger Zeit für ihn. Ich hatte mich daran gewöhnt, ohne ihn auszukommen.

Einmal las die Minna-Tante der Großmutter aus der Zeitung vor, daß ein Affe aus dem Tiergarten entkommen und trotz großangelegter Suchaktionen von Feuerwehr und Polizei noch nicht gefunden worden sei.

Da schaute ich den Großvater an, und der Großvater schaute mich an. »Na siehst!« sagte der Großvater zu mir. Er grinste, und ich war plötzlich ein bißchen traurig, weil ich spürte, daß es mit dem Großvater und mir nicht mehr so wie früher war.

Ich ging zum Großvater hin und setzte mich neben ihn auf das Sofa. Ich lehnte meinen Kopf an seine Schulter. Ich legte meine Hand auf seine Hand, auf die weiche, warme, kreppapierfaltige Haut. Ich spürte eine dicke Ader und das Blut in ihr. Ich blinzelte – schräg von unten – dem Großvater zu, sah seine weißen Ringellocken und die buschigen, weißen Augenbrauen und die Borstenhaare, die aus den Nasenlöchern wuchsen.

Ich hatte den Großvater noch genauso lieb wie früher. Aber es war eine andere Art von Liebhaben. Eine, die ich noch nicht richtig konnte. Doch alles, was man noch nicht richtig kann, läßt sich lernen, und von all den Dingen, die man im Leben lernen muß, ist Liebhabenlernen wirklich nicht das schwierigste.

Ich ließ die Hand vom Großvater los, rutschte auf seinen Schoß, stupste ihn mit der Nase ins Ohr und flüsterte ganz leise: »Und deine Julischka?«

»Die hat vorgestern geheiratet«, sagte der Großvater auch ganz leise. »Einen GI aus der US-Army.« Besonders traurig schien er darüber nicht zu sein. Er weinte auch bei Albicocos Begräbnis keine Träne. Aber als der Erfinder zurückkam und ihn besuchte, freute er sich riesig. Und ein paar Jahre später kamen einmal viele junge Leute zum Großvater auf Besuch. Sie brachten ihm einen riesigen Blumenstrauß und

drei Schachteln feinster Zigarren und einen Streusel-
kuchen. Ich war in der Schule, als sie kamen. Zu
Mittag erzählte mir die Großmutter vom Besuch. Sie
regte sich schrecklich auf.

»Ins Kaffeehaus ist er mit denen gegangen«, sagte sie.
»Nicht einmal vorgestellt hat er mir die Leut. Wie ein
Schas in der Reiter ist er mit ihnen verduftet. Und wie
er wieder zurückgekommen ist, hat er gesagt, wer die
waren, geht mich gar nix an, das ist sein Geheimnis.«

»Der eine hat Huber geheißen«, sagte die Minna-
Tante. »Das hab ich gehört, wie sie weggegangen sind.
Komm, Huber, hat die eine junge Frau zu dem ge-
sagt.«

Meine Mutter meinte, da stecke überhaupt kein Geheimnis dahinter. Das seien die jungen Leute, mit
denen der Großvater oft im Kaffeehaus Karten spiele.

»Und die haben ihm halt zum Geburtstag gratuliert«,
sagte meine Mutter.

»Und einer hat wie ein Zigeuner ausgeschaut«, sagte
die Minna-Tante. »Zum Fürchten direkt!«

»Und einer hat eine jüdische Nasen g'habt«, sagte die
Großmutter.

Da wurde meine Mutter wild. »Wie redest denn?«
schrie sie die Großmutter an.

»Man wird doch noch sagen dürfen, wie eine Nasen
ausschaut«, schrie die Großmutter zurück.

»Nein!« brüllte meine Mutter. »Ich sag dir ja auch nicht, daß du einen böhmischen Frunak hast!«

Empört griff sich meine Großmutter an die Nase. »Ich und an böhmischen Frunak«, brüllte sie. »Ich hab eine griechisch-römische Nasen, das sagt jeder.«

Ich ging in den Hof hinaus. Der Großvater saß auf dem Hackstock. Er hatte eine Semmel in der Hand. Von der Semmel zupfte er winzige Stücke und warf sie den Spatzen zu, die unter der Klopfstange saßen.

»Was sind die denn so laut?« fragte er mich und deutete zum Fenster hin, aus dem die streitenden Stimmen der Großmutter und der Mutter kamen.

»Wegen deinem Besuch heut vormittag«, sagte ich.

»So eine alte Neugierdsnasen«, sagte der Großvater.

»Ich weiß eh, wer die waren«, sagte ich.

»Dann ist's ja gut«, sagte der Großvater.

Ein paar Wörter,
die vielleicht nicht jede/-r gleich versteht

baba: Tschüs!

die Bassena: Wasserbecken, Wasserleitung im Flur alter Wohnhäuser, von dem mehrere Wohnparteien das Wasser holen

der Binkel: Bündel

der Biskottenfisch: Gebäck in Fischform aus Biskuitteig

blad: dick

die Buchtel(n): Hefeteiggebäck, oft mit Marmelade gefüllt

das Bummerl: Verlustpunkt beim Kartenspiel

der Dutter: junger Spund

der Erdapfel: Kartoffel

der Flederwisch: Staubwedel

der Frunak: Nase, »Zinken«

der Gatsch: Brei, Mus, auch Kot

der Germteig: Hefeteig

der Goiserer: schwerer, genagelter Bergschuh

das Graffel: Kram, wertloses Zeug

grantig: mürrisch, schlecht gelaunt

der Greißler: Krämer, kleiner Lebensmittelhändler

der Grießkoch: Grießbrei

die Gschaftlhuberin: Wichtigtuerin

der Gschlader: dünner Kaffee

aufpassen wie ein Haftlmacher: ganz genau, sehr gespannt aufpassen

der Hefen: Kochtopf

das Heferl: große Tasse

das Hendl: Hähnchen

die Hollerstaude: Holunderstaude

der Hubertusmantel: grüner, hochgeschlossener Lodenmantel

die Jause: kleine Zwischenmahlzeit, Vesper

die Joppe: Jacke

das Kabinett: kleines einfenstriges Zimmer

keppeln: keifen, nörgeln

die Küchenkredenz: Anrichtetisch oder -schrank

die Latsche: Kiefer

das Nachtkastel: Nachtschränkchen

die Nockerln: Spätzle

NSV: Abkürzung für: Nationalsozialistische Volkswohlfahrt

die Oberlichte: oberer Teil eines mehrteiligen Fensters; kann zum Lüften geöffnet werden

das Ohrwaschel: Ohrläppchen

der Polster: Kissen

pölzen: abstützen

raunzen: jammern, nörgeln

es hat keinen Reibach: es hat keinen Sinn

wie ein Schas in der Reiter: überflüssig, zuviel, wörtlich: wie ein Furz in der Reitschule

der Schleichhandel: Als im Krieg die Lebensmittel knapp wurden, konnte man Brot, Milch, Butter, Fleisch, Wurst, Teigwaren, Zucker, aber auch Kleiderstoffe, Zigaretten u. a. nur gegen den Abschnitt von bestimmten Formularen, den Lebensmittelmarken, kaufen. Wer ohne Lebensmittelmarken Nahrungsmittel kaufte oder verkaufte, betrieb Schleichhandel, und das war verboten.

der Schmarrn: wertloses Zeug

der Staubwuwer: Staubfussel

das Stockerl: Hocker

das Tarock: Kartenspiel

die Tratschen: Schwätzerin

die Vettel: abschätzig für unordentliche Frau

das Wuzerl: Fussel

*Christine Nöstlinger-Edition der Verlage
Beltz & Gelberg und Jugend und Volk*

Am Montag ist alles ganz anders
Roman. 128 Seiten, Pappband (79634) *ab 10*

Anatol und die Wurschtelfrau
Roman. 208 Seiten, Pappband (79630) *ab 10*

Das Austauschkind
Roman. 160 Seiten, Pappband (79631) *ab 12*

Der geheime Großvater
Erzählung. 156 Seiten, Pappband (79632) *ab 9*
Österreichischer Kinderbuchpreis u. a.

Maikäfer, flieg!
Mein Vater, das Kriegsende, Cohn und ich
Roman. 216 Seiten, Pappband (79633) *ab 12*
Holländischer Jugendbuchpreis »Der silberne Griffel« u. a.

Oh, du Hölle!
Julias Tagebuch
Bilder von Christine Nöstlinger jun.
204 Seiten, Pappband (79635) *ab 12*

Rosa Riedl, Schutzgespenst
Roman. 200 Seiten, Pappband (79636) *ab 10*
Österreichischer Jugendliteraturpreis u. a.

Wetti & Babs
Roman. 264 Seiten, Pappband (79637) *ab 12*

Der Zwerg im Kopf
Roman. Mit Bildern von Jutta Bauer
168 Seiten, Pappband (79638) *ab 9*
Zürcher Kinderbuchpreis »La vache qui lit«

Beltz & Gelberg
Beltz Verlag, Postfach 100154, 69441 Weinheim

Der Spatz in der Hand
und die Taube auf dem Dach
96 Seiten, Pappband (79516)   *ab 12*
»Kinderbibliothek«

Der Wauga
Erzählung. Mit Bildern von Axel Scheffler
84 Seiten, Gulliver Taschenbuch(78168)   *ab 8*

Wie ein Ei dem anderen
Roman. 140 Seiten, Pappband (80074)   *ab 10*

Wir pfeifen auf den Gurkenkönig
Roman. Mit Bildern von Jutta Bauer
184 Seiten, Pappband (80066)   *ab 9*
Deutscher Jugendliteraturpreis

Zwei Wochen im Mai
Mein Vater, der Rudi, der Hansi und ich
Roman. 208 Seiten, Pappband (80581)   *ab 7*
Gulliver Taschenbuch (78032)
(auch in der »Kinderbibliothek«)

Christine Nöstlinger/Jutta Bauer
Ein und Alles
Ein Jahrbuch mit vielen Bildern von Jutta Bauer
376 Seiten, Pappband (79604)   *ab 11*

Christine Nöstlinger/Nikolaus Heidelbach
Der Neue Pinocchio
Die Abenteuer des Pinocchio neu erzählt
Mit farbigen Bildern von Nikolaus Heidelbach
216 Seiten, Gulliver Taschenbuch (78150)   *ab 6*

Beltz & Gelberg
Beltz Verlag, Postfach 100154, 69441 Weinheim